别怕，一定有路

別怕，一定有路

黃明堅◎著

葡式蛋撻店，
像春天的花苞，
一串一串地開放……

《序》

一家興高采烈的小店

流行眞是一種奇妙的現象。

突然間，所有人都擠進電影院看「鐵達尼號」，也不管三個多鐘頭的時間，坐得屁股都疼。

突然間，女孩子都穿起厚厚底的鞋子，像唱歌仔戲一樣，小心翼翼踩著螞蟻前進，也不怕扭了腳。

突然間，整個城裡都充斥著葡式蛋撻店，像春天的花苞，一串一串地開放，擁擠得教人恨不得一天吃上三百個才好。

「鐵達尼號」下檔了，厚底鞋還在街頭招搖，而蛋撻呢？也是突然間，葡式蛋撻店全部銷聲匿跡，嶄新的招牌尙未卸下，緊鎖的鐵門已經塵封，多少希望破滅了，多少憧憬黯淡了。

獨有一家小店，在昏沉的夜色中，通明透亮地做著它自己的生意，人來人往，小店興高采烈日日打拚。

那是我們附近一家小小的葡式蛋撻專賣店。

蛋撻熱接近尾聲的時候，這家小店開張了，新買的機器，每逢整點出爐的蛋撻，買五個送一個的優待，著實吸引了一些人潮。每次打它門前走過，都會看到有顧客上門，雖然不像某些名店大排長龍、萬頭攢動，不過熙來攘往的客人，倒也不嫌門庭冷落。

印象中，小店開幕後，才僅僅一個月的工夫，蛋撻熱就完全退燒。一盤盤滿滿的蛋撻無人問津，從剛出爐的熱騰騰，放到沒人理睬的冷冰冰，人潮依然川流不息，只是不曾見到任何

下一股流行的風潮
說不準會吹什麼……

顧客肯駐足片刻，買一個費心烤出、奶香四溢的小蛋撻。

方圓五百公尺內，幾家新開的葡式蛋撻店，全都是轟轟烈烈開張，靜靜悄悄歇業，就連城裡炙手可熱的大連鎖店，也是兵敗如山倒，一家家紛紛偃旗息鼓。

我們附近這家小店，雖然是位在市場邊的黃金店面，可是生不逢時，這時左看右看都是一副灰頭土臉的樣子。

每隔三五天，我總會從它門前經過，眼看著毫無買氣的蛋撻，疲倦地堆疊在櫃台上，心裡不免喟嘆：「台灣這個鬼地方，什麼都是一窩蜂，不知道害死了多少善良老百姓。」

鬧市中的商店，房租想必不便宜，我算計著它最多撐上三個月，接下來又得換主人，下一股流行的風潮說不準會吹什麼，小店該換做怎麼樣的新生意才好呢！

我一面疾步走過，一面胡思亂想著。

過了兩個禮拜，小店的櫥窗裡多了幾盤花式小蛋糕，薄薄的巧克力片斜插在蛋糕上，還壓出格子狀的紋路，看來爽脆可口，紅紅的草莓醬堆成一球，嬌豔得令人食指大動。

每一種蛋糕都像一幅彩色圖畫，只要四十五塊錢，就可以把它帶回家。不能抗拒美麗色彩的誘惑，我選了好幾種花樣，拎到朋友家裡去喝下午茶。

又過了兩個禮拜，櫥窗裡增添出一排長條蛋糕，不像我們常見的起士、蜂蜜口味，長著一副平凡無奇的臉孔。這些蛋糕眞是用畫筆畫出來的，或者是三五種水果堆出不同顏色的圖案，或者是巧克力片扭腰擺臀，彎成美麗的結飾，或者是奶油擠出大波浪，星星點點的果醬錯落其間。

每一條蛋糕都有自己的韻味，有的素淨高雅，有的活潑熱鬧，有的浪漫靈動。連平日不貪吃的我，都忍不住徘徊流連，

過了兩個禮拜，
小店的櫥窗裡
多了幾盤花式小蛋糕……

貼著玻璃窗，想把一幅幅美景都吞下肚裡去。

長條蛋糕不貴，可是一個人獨食，畢竟嫌太多。此後到別人辦公室去談事情，一定不忘順手帶兩條，和大家分享。

小店的生意似乎愈來愈好，和我一樣被美麗的蛋糕吸引的人顯然不少，常常看見小貨車載著一大盤蛋糕來補貨。

只有三坪的小店，一大半被巨大的蛋撻烤箱占據住，這樣沉重的負擔似乎並沒有阻礙店主人靈活的腦筋，他在別處做蛋糕，然後一箱一箱運來店裡。

一步一步看到小店在蛻變，從蛋撻到小蛋糕，從長條蛋糕到生日大蛋糕，每隔兩個禮拜，店裡就又添一點新花樣，讓你又想試試新口味。

本以爲他這條路線走得不錯，做一家精緻的蛋糕店，在繁華鬧區必然是挺穩當的。

誰料到店主人的腦袋裡，根本沒有什麼路線問題，巨蛋牛奶麵包剛剛出現，他已在店門口貼上大海報：「一個五十元」，成箱成箱的麵包，就這樣被路人一掃而空。

我看了這副奇景，不禁啞然失笑。

從葡式蛋撻賣到巨蛋麵包，有幾家店還能夠活著？小店的招牌上還寫著「葡式蛋撻專賣店」，笨重的烤箱也還大模大樣盤踞在屋內，可是船過水無痕，它沒有被不幸的境遇絆住腳，反而雲淡風輕地轉個靈巧的大彎，迎接更美麗的前程。

運氣來了，很快遇上另一股熱潮，小店主人樂呵呵，站在店門口猛數鈔票。

我曾看見過時的蛋撻，我也看見花俏的蛋糕、熱賣的巨蛋，我看不見的是背後的掙扎，如何從最大的頹勢中，找到新的生

我總覺得備受鼓舞，
好像在暴風雨後，
看見一處百花盛開的庭園。

機，如何在命運拋棄人的時候，仍然能夠摸索著小步小步往前走。

每回經過那家小小的小店，我總覺得備受鼓舞，好像在暴風雨後，看見一處百花盛開的庭園。每一塊精心製作的蛋糕，都在訴說一個用美麗、用創意、用更開闊的胸懷，把生命的苦汁變成蜜糖的故事。

我彷彿聽見店主人是一路唱著快樂的歌，走在其實十分坎坷的道路上。

不過，他走過來了，不是嗎？

在根本沒有路的地方，走出路來。把自己的辛酸嚥進肚內，把蛋糕的甘甜分享給別人。

小小的店裡，有大大的智慧，還有滿滿的歡樂。

這些日子以來，周遭有許多朋友都面臨人生的轉捩點，深深感覺困惑，甚至絕望。

我眼見他們在掙扎，卻也明白自己無能爲力。生命中最猛烈的驚濤駭浪，唯有靠個人拚盡全力去對抗，而一個人的潛力與能耐，也在這樣的對抗中，被激發、被深化。旁人無謂的好心，只是徒增困擾，使不出什麼眞正的力量。

自己的命運，要靠自己去奮鬥。

然而，我仍然忍不住要關心，要擔心。深恐他們在大風浪中，保持不住平衡。而我能做的，眞的，十分有限。

爲我的朋友們，也爲許許多多在生活中深感舉步維艱、困頓難行的人們，讓我稱呼你們一聲「朋友」，無論認識不認識。

我們都在人生路上行走，你和我，朋友和朋友。面對前途，我們都不免有恐懼、有憂慮、有迷惘、有悲傷。

一個人的奮鬥是孤獨的，而孤獨是好的。

為你，也為我，
加油打氣。

對所有孤獨戰鬥的朋友，我說：「別怕，一定有路。」

為你，也為我，加油打氣。

孤獨是好的，有一個加油打氣的朋友，自然，也是好的。

這本書裡的文章，最初是應《民生報》副總監高愛倫的邀約，在報紙上發表專欄，專欄名稱叫做「迎向陽光」。

一個星期三次的專欄，好像跟時間賽跑，永遠處在欠稿的壓力之下，好不容易寫到夠出一本書的分量，我趕緊煞車，給自己喘口氣。檢點全身，早已被折磨得蛻去一層老皮。

如今成書，卻又滿懷感謝。

高姐現已就任新職，擔任《星報》總編輯。

認識高姐，讓我看見一個在工作與生活上不停奮鬥、追求完美的榜樣，對一向散漫的我，是提醒，更是鼓勵。

休息過後，還有更長的路要走。

我也有自己的仗要打，自己的前途要闖。

寫這本書曾受到高姐的鼓勵，而我也用這本書來鼓勵讀者，鼓勵自己。

3 用柔軟的腰身，做一個漂亮的旋轉

4 意志力的淬煉，完全在於最後一刻

5 保持活力，平靜度過危機

6 跟隨朝陽，一直堅持下去

7 換新跑道，重塑新的自己

8 學習，是在血液裡，在細胞裡

9 路，在陽光燦爛的地方等著你

10 一百個計畫，不如一個行動

1

只有失敗，才讓我們恍然大悟

失敗給我們一個機會，
放棄懶惰的想法，放棄習慣了的舊路。
重新思考，另闢新路。

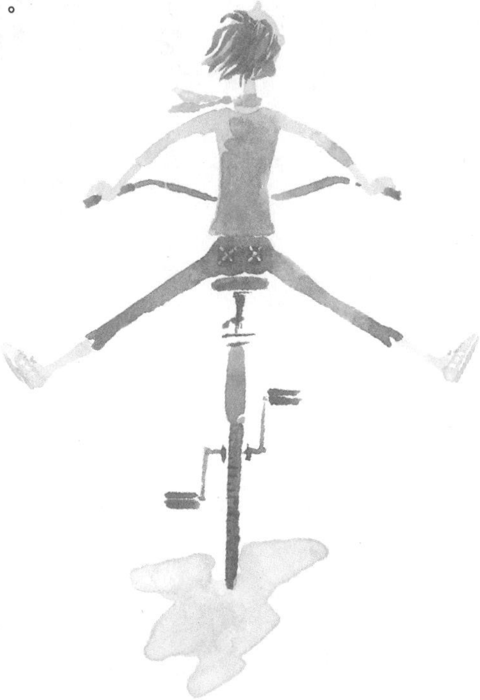

做一杯檸檬汁

生命給我們酸苦，我們自己製造出甘甜。

「如果生命給你一顆檸檬，你就把它拿來做成一杯檸檬汁吧！」

很久以前，聽人說過這麼一句話，印象一直很深刻。

檸檬又苦又酸，一點也不討人喜歡，根本無法下嚥。可是把它搾成汁，加上水，加上糖，倒進蜂蜜，卻變成人人愛喝、生津止渴的檸檬汁。

生命給我們酸苦，我們自己製造出甘甜。

只有無知的人才會期望生命賜給我們現成好喝的檸檬汁，聰明人都知道，生命就像一個處處刁難的老師，他給你一個似檸檬又苦又酸。
等你自己想辦法，
把它剖開、切片、搾乾……

乎莫可奈何的難題，等你自己想辦法，把它剖開、切片、搾乾，細細地加工處理，然後靜靜坐下來，好好享受歷經千辛萬苦才得到的寶貴成果。

有一位很年輕的朋友問我：「新新人類表面上看起來很不錯，可是似乎缺少了一點什麼？他們是不是應該多吃一點苦。」

我並不認為吃苦是必要的，人生畢竟是享樂比吃苦要好。然而，關於新新人類缺少什麼，我倒是有意見的。我跟他說：「太年輕的人總讓人覺得好吃是好吃，卻嫌不夠Q。」

糰糬好吃，不單在於口味，還得有嚼勁，吃起來感覺QQ，這才是好糰糬。

好吃，只是外表、顏色、形狀，這些都可以速成。做人，打扮漂亮，言語伶俐，笑容可掬，撐起場面，不難。

QQ有勁，是內在，內在有力量，有主張，有把握，碰上大風大浪，依舊穩如泰山，難以搖撼。做到這一步，不容易。

吃苦，不是必要的。但是接受磨練卻也是不容迴避的，像米粒被磨碎，被捶打，一次又一次重重的碾壓，是爲了增加力度，增強勁道，讓糀糬被牙齒咬嚼之下，不僅不軟化，反而更有彈性，給人充滿力氣的咀嚼經驗。

好喝的檸檬汁，是擠壓檸檬的結果；好吃的糀糬，是捶打米粒的結果。

在現實生活中，被擠壓、被捶打，也許不是快樂的事，但是曾經痛不欲生的檸檬與米粒，也不知道有一天它們會備受讚賞。

被生活壓迫得喘不過氣來的時候，想想檸檬汁吧！每一次擠壓，都讓我們又流出一滴淸涼爽口的檸檬汁。

前美國總統尼克森，
曾經談起他一生中遭遇的七次危機。

人生的七次危機

只有失敗，才讓我們恍然大悟，學會一切。

前任的前美國總統尼克森，曾經寫書談起他一生中遭遇的七次危機。

在一個民主國家，任何人要想當上總統，這一生中可能必須經歷無數次大小選舉。其中有成功，當然也不乏失敗。

尼克森的七次危機，也就是他的七次失敗。

他競選國會議員，失敗。再度參選才成功。

他競選州長，失敗。再度參選，成功。

他競選副總統，失敗。再度參選，成功。

他競選總統，失敗。再度參選，成功。

總計他一生中面臨過七次重大的失敗，每一次重大的失敗，都是他政治生涯中的危機。這危機可以完全摧毀他的前途，但也可以從危機中汲取教訓，轉而贏得下一次的成功。

從尼克森的經驗，清楚顯示出，成功之前的失敗似乎是不可逃避的。

我們平常往往隨口說：「失敗爲成功之母。」可是卻少有機會，仔細想一想，這句話其中的深意。

唯有失敗，才給人學習的機會，讓人懂得謙虛，承認自己的錯誤，知道不可懈怠，還需要努力。

成功的時候，我們學不到教訓；只有失敗，才讓我們恍然大悟，學會一切。

誰的人生都會遭遇到危機吧！

危機並不是尼克森的專利，也不是只有想做總統的人，才

這危機可以完全摧毀他的前途，
但也可以轉而
贏得下一次的成功。

擁有面對危機、化解危機的權利。

政治人物的危機是選舉，學生的危機是考試，上班族的危機是業績、是考績，企業經營者的危機是景氣，而藝術家的危機則是創作。

每一個人在生活中，都不時會被迫面對大大小小的挫折、失敗和打擊，當然，在重大的關口遭到重大的挫敗，就是一次危機。

尼克森的能耐，在於化解危機，每一次的失敗之後，都能繼續奮鬥，終至成功。「失敗—成功」這樣的起伏震盪，和坐雲霄飛車差不多同樣驚險。甭說七次，就是一次，恐怕都足以教人心臟痲痺，動彈不得。

如果不做總統，我們大概也不需要承受七次危機。只是偶爾在命運沉到谷底的時刻，我們可以相信，危機之後還有下一次的成功在等待著我們。

失敗，開出更寬闊的新路

與其受困於一個地方，不如開創另一個局面。

台北市長陳水扁競選連任失利，把市長寶座拱手讓給旁人。

選戰失利當然是極難堪的事，可是爲了感謝選民的支持，有時沒有當選的候選人，在選後也會到處遊行，銘謝賜票一番。陳水扁在落選後的例行銘謝活動中，帶領車隊沿街謝票，沒想到車隊所到之處，仍然大受民衆歡迎，並且各處都有民衆呼喚：「阿扁總統」。大力支持他出馬競選下任總統。

陳水扁選不上市長，就選總統，大家似乎認爲理所當然。可是仔細思量，這其實是一件不大合邏輯的事。

他很可能轉念一想，
在這裡沒有前途，
不如出去闖一闖。

我們平常都以爲成功是一件好事，一個人只有在成功之後，才有可能得到更上層樓的機會，開展更廣闊的人生。

譬如說，一個人在公司裡先要當上科長，然後才有機會當經理，再來熬個幾年做協理，慢慢升副總，最後命夠長，運氣夠好，說不定撈個總經理幹幹。不過，到那個時候，大概已是滿頭白髮、齒牙動搖了。

即使一步一步都成功，向上攀爬的路程仍然是非常遙遠。

但是一個有才幹的人，如果總是沒法當上科長，或是再努力也升不成經理，那麼他很可能轉念一想，在這裡沒有前途，不如出去闖一闖。

外面的世界很大，與其受困於一個地方，不如自己開創另一個局面。

這樣一來，奮發創業，不出幾年也就經營出一個規模，而且年紀輕輕，就理所當然穩坐總經理的大位。

失敗並不可怕，失敗和成功一樣，都提供給我們一個機會。

成功讓我們看見的，往往是一條清楚的路，熟悉、光明、直達目標。

失敗給人打擊，眼前一片漆黑，彷彿無路可走。其實，無路可走只是我們懶惰的想法，平日我們習慣了舊路，不想冒險，不想嘗試，只求安安穩穩。

反而是失敗給我們一個機會，放棄懶惰的想法，放棄習慣了的舊路。重新思考，另闢新路。

舊路總嫌狹隘，新路卻可以彌補過去的缺憾。失敗給人生一個大好機會，丟下過去，重新闢建一條更寬闊的新路。

常常第一名和第二名，
只有一肩半肩之差。

只不過是零點幾秒

這一點點，是極小，卻能決定極大——是勝利還是失敗。

世界上所有的比賽，勝負輸贏之間差距，有時是極其微小的。

不論是賽跑或是游泳，在抵達終點時，常常第一名和第二名，只有一肩半肩之差，偶爾甚至會幾乎同步抵達，用肉眼完全分辨不出來，要靠錄影的慢動作一格一格比較，而最後的差距當然在一秒以下，只不過是零點幾秒。

運動競賽的前三名大半都會得到獎牌，或者是一二三名，或者是金銀銅牌。

在艱苦的奮戰之後，能得到名次，總是令人欣慰。可是在許多比賽場合，尤其是國際性的大比賽裡，在最後關頭，失去冠軍寶座的運動員，往往會和隊友抱頭痛哭。看著他們傷心的模樣，任誰都會明白，第二名是不算數的。沒有奪得冠軍，就等於輸去一切。

勝利並不容易，但不管差距多麼微小，領先與落後硬生生被分成兩個世界。

一個短跑運動員、一個游泳選手，經年累月的練習，日曬雨淋，所追求的並不是多麼顯赫的、飛躍性的進步。愈是卓越的人才，他所需要超越的愈可能是自己的極限，一個極小的進步。

哪怕只是快上幾秒，甚至零點幾秒，都可能得付出許多個月，也許是許多年的青春。

只爲了這麼一點點的成績，耗費這麼大的心血，値得嗎？

任何一種比賽，
都不會像卡通影片一樣，
總是大肥貓碰上小老鼠……

答案會在最後的比賽中揭曉。經過一次又一次的淘汰，甩開和自己差距懸殊的對手，終於進入最後一輪的生死決戰。

輸與贏，勝和敗，就憑最後關頭的最後幾秒。

幾千幾萬次的練習，全表現在這一點點的差距上。

這一點點，是極小，卻能決定極大——是勝利還是失敗。

勝與敗的兩個世界，在極小的瞬間，截然裂開。運動員被推上成功的巔峰，或者被摔入絕望的深谷。

任何一種比賽，都不會像卡通影片一樣，總是大肥貓碰上小老鼠，兩人實力天差地別，讓人不由得替弱者多捏幾把冷汗。

我們既不是大肥貓，也不是小老鼠。我們所參加的比賽，可能只在零點幾秒之內定輸贏，即使只有一點點的差距，也要奮力掌握住。

好好下山

下山，是為了攀登另一座高峰作準備。

前些年有一位日本偶像明星吉田榮作，他曾經被選爲「年度最想擁抱的男人」。

吉田榮作的演藝生涯有好些年十分燦爛，但是隨著新生代偶像崛起，他慢慢也受到威脅，不復見往日的光采。經過一段時間的思考，他終於宣布，決定退出演藝圈。

在決定退出之後，這位平日喜歡戶外運動，尤其酷愛爬山的明星，用爬山作比喻，說了一段話。

這段話講得很好，讓人一直印象深刻。

吉田榮作說：「人生就像爬山一樣，當你爬到頂峰，接下下山不是挫敗……
要想漂漂亮亮的下山，
更是困難。

來就要準備下山。如果不先下山，怎麼能去攀登另一座更高的山呢？」

下山不是挫敗，下山是爲了攀登另一座高峰作準備。

處順境容易，處逆境難。一個人在風光的時候，固然需要盡力維持住自己的聲名不墜；然而在失意、不得志的時候，更可以看出個人的修養和內涵。

想上山的人很多，但是能夠一步一脚印，咬緊牙關，成功登頂的人並不多。

如果想要創造更高的成就，攀爬更高的山峰，那麼先下山是必然的選擇。

能踏踏實實的上山，已經不容易；要想漂漂亮亮的下山，更是困難。

許多人在不得意的時候，總把過錯推到別人頭上。「張三做錯事，害我受到拖累。」「李四暗中扯後腿，害我無法全力衝刺。」「王五的觀念偏差，害我全軍覆沒。」「趙六的後台不夠硬，出一點小事就垮了，害我的投資完全泡湯。」

誰的錯？

全是別人的錯。

張三、李四、王五、趙六全都有錯，只有我沒錯。

其實，不管是誰的錯，既然已經走在下山的路上，就不妨放鬆心情，放慢腳步。

指責和埋怨都無濟於事。畢竟下山只是一個過程，走到山腳下，補足飲水與口糧，我們還要再上路，朝另一個山頭前進。

下一段上山的路，我們依舊需要朋友和夥伴，一起打拼，互相鼓勵。

好好上山，好好下山，讓每一段路程都保持著順順利利。

有一片雲朵飄在她頭上，
而她正在說：
「活著，理直氣壯。」

活著，理直氣壯

我一直很喜歡自己——即使是處在外人看來最窮途末路的時刻。

兩年多沒有寫作，去年秋天帶著一點惶恐、一點亢奮，還有一點莫名的歡喜，重新提筆。

事隔半年，新書出版了，從秋天等到春天，杜鵑花在路旁綻放得正嬌豔，我也等到我幾年未見的一本新作。

新書封面是一個甩著粗辮子的紅衣女郎，有著翹翹的長睫毛、酡紅的兩腮和一張噘得老高的小嘴。她和漫畫裡的人物一樣，有一片雲朵飄在她頭上，講出她要說的話，而她正在說：「活著，理直氣壯。」

那就是新書的書名：「活著，理直氣壯」。

爲了介紹新書，去上廣播電台的節目，主持人也算是熟識的老朋友了。她劈頭就說：「你當然可以活得理直氣壯，你一直是暢銷作家，什麼事都順順利利的。」

我給她一個苦笑，像個老實頭一樣坦白告訴她：「我也有活得很爛的時候。」

主持人不可置信地問：「嗄，你也有活得很爛的時候？」她開心地笑起來，每一個人聽到別人的爛事情，總是這樣無比開懷吧！

其實我眞正想說的是：「誰沒有活得很爛的時候呢？只不過有人願意承認，有人卻抵死也不肯坦白罷了。」

在光輝燦爛的時候，活著不難，愛自己不難，肯定、接受自己都不難。

難在一個人窮困潦倒、失意喪氣的時候，還能接受自己，

活得歡歡喜喜，
熱熱鬧鬧。

肯定自己，始終如一地欣賞這個自己，而且活得歡歡喜喜，熱熱鬧鬧。

失業、失戀、失敗，都是人生的大事。而我碰上這些人生大事的機會，似乎都比別人多出百分之好幾百。

或許是遭遇的挫折比較多，也自然練出比較高強的本領。又或許是在理想與現實之間，常常捨棄舒服的現實，而選擇荊棘滿布的理想之路。

我一直很喜歡自己——即使是處在外人看來最窮途末路的時刻。

都是一種生命的狀態，花開與花謝，冬眠與夏季萬物茁長，潮起與潮落，初生嬰兒與逐漸老去的年華。

無法比較，無法分別，我們全都得謙卑地接納，接納好壞、生死、成敗、榮辱，自己的與別人的。

理直氣壯地接納，活著的一切。

2

最強的創造力，是硬碰硬撞擊出來的

封閉的象牙塔裡，挖不出珍寶；
唯有誠實地走進世界，蒐集自己的經驗，
才能尋得創造力的源頭。

脫離現實的想像力

假的會變成真的，不可能的會變成可能的。

作家馬奎斯曾經在一本小說裡，創造了一個長著一條豬尾巴的青年。

小說本來就是脫離現實的一種想像，作者可以憑空臆想出各種現實生活中不存在的奇幻角色，讀者雖然心裡不相信，但是只要故事有趣，仍然會被吸引著讀下去。

讀者常常以爲小說都是假的。小說家馬奎斯認爲，「小說比現實更接近眞實」。

在他的小說出版以後，馬奎斯接到一位青年朋友的來信，告訴他，他們村子裡住著一個人，他眞的長著一條豬尾巴。

馬奎斯曾經在一本小說裡，
創造了一個長著
一條豬尾巴的青年。

我們都以爲不可能的事情，卻被證明是眞有其事。

美國總統柯林頓，因爲緋聞案而受到彈劾，在國會準備表決彈劾案的前夕，柯林頓突然出兵襲擊伊拉克，導致彈劾案不得不延期表決。

早在兩三年前，就有兩位聰明的編劇家討論到，政治問題也許並不像表面那樣單純，一位總統如果宣布對其他國家開戰，除了冠冕堂皇的理由之外，私底下可能只是爲了轉移社會大衆對他鬧緋聞的注意力。

這兩位編劇於是寫下一個電影劇本，講一個鬧緋聞的總統，製造了一場假戰爭，這個劇本就被拍成電影「搖擺狗」。

寫劇本、拍電影都需要時間。電影拍攝完成的時候，美國總統正因爲性醜聞，掀起漫天風暴。現實居然和捏造的劇本一模一樣，令編劇們自己都咋舌不已。

電影放映之後不久，美國總統爲了轉移社會焦點，兩度對外國動武。總統的一舉一動，彷彿完全照著電影劇本排演，更是令人譁然。

虛構的故事，卻發展成新聞，演變成國際事件，甚至即將進入歷史。

假的會變成眞的，不可能的會變成可能的。

再聰明的人，都沒有辦法了解世界的全貌。有時候我們會憑著自己的見識，太快下定論，馬上決定：「那是假的。」「那是不可能的。」

反倒是充滿想像力的人，像小說家、像電影編劇，他們一心一意要創造假的情節、不可能的角色，結果卻弄假成眞，化不可能爲可能。

開發我們的想像力，讓世界跟著我們寫好的故事來上演！

任何帳款，
只要請款單一到，
大老闆就急著付錢。

讓好腦袋全速轉動

腦袋不是記憶過去的事情，而是用來運轉，用來思考，用來創造新的機會。

我以前曾經替一位很有錢的大老闆工作，大老闆做人處事不見得件件都值得稱道。不過，他有一個難得的好習慣，頗值得學習。

大老闆不喜歡欠債，任何帳款，只要請款單一到，他就急著付錢。

你也許會想，世界上哪有這麼好的老闆？

不錯，沒有。

大老闆有他精明的地方，明明任何帳款都可以合理合法拖上三個月才付，開一張三個月的期票，不是什麼問題都沒有了嗎？

大老闆不喜歡，他寧可馬上付現，條件是要求對方打個九五折，算是對他的回饋。大部分廠商當然願意拿現金，不必冒遠期支票的風險，而大老闆要求的小小折扣，自然也被欣然接受。

大老闆急著付錢的理由也很簡單：既然是該付的錢，早付掉，早忘掉，可以省下腦筋去想怎麼賺更多錢。

人腦的記憶能力，也和電腦的記憶體差不多，總有一定的容量，如果儲存太多東西，就會變得飽和，無法運轉。

把腦筋空下來，做更有用的發揮，不要浪費在沒有生產力的地方，這是大老闆的哲學。

如果腦子裡滿是帳單，幾月幾號到期的支票，加加減減的一堆數字，恐怕就沒有地方再放其他好東西了。

大老闆認爲，
腦袋不是用來
記日期、記數字、記帳單。

大老闆認爲，腦袋不是用來記日期、記數字、記帳單。簡單說，就是不要用腦袋來記憶過去的事情，而要用腦袋來運轉，來思考，來創造新的、更好的機會。

我們大概都不會像大老闆有那麼多帳單要付，不過我們每一個人的腦袋裡，可能都存放了不少拖拖拉拉的東西，一些拖上三個月、五個月也沒有什麼大不了的瑣事。這些瑣瑣碎碎的事——帳單、人情、應酬、承諾，都占據了我們一部分的腦袋，讓我們只剩下小半個腦袋可以運轉。

大老闆懂得迅速處理掉手邊的事情，讓他的好腦袋經常可以全速轉動，更靈敏地迎接下一步的變化。

如果能夠勤快些，把我們被瑣事占據的腦袋清理乾淨，也許我們每個人都會發現，好腦袋人人都有，並不是大老闆的專利。

永遠不會缺少色彩

黑暗的過去，不會遮蔽光明的未來。

創造力是從哪裡來的？

藝術家常常被公認爲，是最有創造力的人物。那麼，他們創造力的源頭是什麼呢？

法國有一位女雕塑家妮基・德・聖法勒，做了很多有趣的雕塑。她喜歡做胖胖的女人，還有細細長長的蛇，並且在人和蛇的身體，塗上黃紅藍白各種亮麗的色彩與圖案。

她的雕塑沒有看得懂看不懂這些深奧的問題，也不是灰黑冷硬，嚴肅得難以接近。

妮基的雕塑，小的有可以放在桌上電話機大小，大的規模

一屋子大大小小妮基的作品，
五彩斑爛，
胖女人和毒蛇四處散布……

有如一頭大象，可以在它的肚子底下穿梭玩耍。

很少有藝術家，能夠這麼普遍受到歡迎。我在巴黎看到她的展覽，眞是感動，一屋子大大小小妮基的作品，五彩斑爛，胖女人和毒蛇四處散布，大人帶著小孩子，像闖進遊樂場一樣開心，小朋友在作品裡面爬上爬下，東鑽西躲，玩得不亦樂乎。

妮基散播了這麼多歡樂，她是怎麼做到的？

沒有人相信，她其實擁有極爲創痛的過去。

妮基在童年和青少年時期，一直遭受到父親的性侵害，爲她早年的歲月烙下深刻的疤痕。她花費了很長的時間，努力和過去的悲慘經驗奮鬥，還好她遇上愛她並且鼓勵她的丈夫，可以專心致力於藝術創作。

她的作品明朗光亮，完全看不出生命中曾有的陰影。而天生麗質美得驚人的妮基，也以獨特的創作站穩她藝術家的脚步。

現在的妮基，可以說是成功的。

她的作品不僅廣受歡迎，而且也得到專業上的認可。法國的龐畢度美術館，就在館旁的噴水池裡，放置了妮基逗人的七彩蛇群。

一個創作者如果來自陰鬱的背景，那麼表現陰鬱毋寧是自然反應。然而一個創作者如果生於陰鬱，卻能終於開朗，表現出令全世界大人小孩都欣喜快慰的傑作，這實在不是一件容易的事。

妮基用她自己的故事、她自己的作品，告訴我們：掙脫過去，前途依然坦蕩；黑暗的過去，不會遮蔽光明的未來。這世界永遠不會缺少色彩，永遠都有美麗存在。

女殺手從直升機中射出一槍，
正中男人左邊的心臟部位……

一根筋，長錯了地方

所謂正常，是根本找不到的東西。

前一陣子看了一部電影，電影本身是沿襲外國片的故事，所以無啥出奇，可是影片的結尾卻很有趣。

片中的主角是一個女殺手，奉命到處去殺人。後來她愛上一個背景很單純的男人，沒想到她接到的最後一道命令，居然要她殺死她的男朋友。

女殺手對上司提出的唯一要求，就是希望能夠由她親自射出致命的一槍。

被追打得奄奄一息的男人躺在地上，女殺手從逐漸攀高的直升機中射出一槍，正中男人左邊的心臟部位，直升機帶著女殺手愈飛愈高，地上的男人顯然已經一命嗚呼。

這結尾好像沒什麼稀奇，對不對？

那是因爲你不知道前半部的劇情，在男女朋友濃情蜜意的時候，男人曾經告訴過女人：『我和一般人不一樣，我的心臟長在右邊。』

做爲一個忠實觀衆，看到直升機飛走，女殺手淚流滿面的時刻，我們明白，那個女人第一次違背了上司的命令，她給男朋友留下一條活命。

偶然看到一篇影評，談及這部電影拍得不錯，可惜結局設計得太離譜了，沒有人會相信人的心臟居然長在右邊。

我看電影時，總驚訝於故事的曲折離奇，佩服電影人是用什麼樣的腦袋想出劇情，倒很少會去質疑故事合理不合理。影評人的腦袋比較理性，會想到心臟位置這種事情。

「沒有人是完全正常的」，
醫學院學生會這麼告訴你。

湊巧幾天後，讀到毛姆的小說《人性枷鎖》，裡面提起一個醫學院學生被自己所解剖的屍體搞得焦頭爛額，他抱怨說：「這傢伙的動脈長錯了地方。」

另一個比較有經驗的同學則告訴他：「動脈一向就長錯地方，所謂正常是根本找不到的東西，這就是爲什麼叫正常。」

我們身體裡，大概都有一些東西長錯地方吧！

「沒有人是完全正常的」，醫學院學生會這麼告訴你。

所以，心臟長在右邊也許是長錯了地方，不過它也可能像身體上其他器官一樣，「一向就長錯地方」。

電影創作常常是天馬行空，給我們一些匪夷所思的故事，把我們從正常生活裡拉出去，讓我們變得更瘋狂、更有趣、也更眞實。

我相信，我們每個人的腦子裡，都有一根筋，一向就長錯地方。

全市冠軍、全省冠軍、
全國冠軍，
一個又一個金光閃閃的冠軍杯。

今天的光榮

只有拋棄昨天，才能腳踏實地活在今天。

我有一個同學阿玲，從小到大都是模範生。一般的模範生只不過是會唸書、成績好而已，阿玲卻不同，她對演講辯論樣樣拿手，校內冠軍簡直是探囊取物，輕鬆容易。

不但如此，到校外比賽，全市冠軍、全省冠軍、全國冠軍，張張嘴，就席捲下一個又一個金光閃閃的冠軍杯。別人會有起伏，偶爾表現失常，或是遇上強勁對手，就不免落敗。阿玲是女鐵人，任何情況都不會干擾她，連第二名她都不屑一顧，要拿，一定是拿冠軍回來。

學校的校長、老師全都拿她當個寶，只要提到阿玲的名字，他們的嘴巴就笑得忍不住咧開到耳朵上去。這也難怪，數數校長室裡的冠軍杯，誰人立下如此汗馬功勞，大家心裡有數。

永遠第一名的阿玲，永遠當班長的阿玲，永遠被校長老師寶貝著的阿玲，是我們學生時代永遠的風雲人物。

大學畢業後，阿玲去了美國，讀博士，結婚，生了兩個孩子，自己開一家公司。十幾年後，她收拾起一切，全家重新回到台灣，爲了照顧年紀尚幼的孩子，她選擇進大學教書，做一個教授。

一切應該很美好，和往日不同，但仍然美好。

阿玲卻不這麼想。

我和她在台北碰面時，她顯然有著濃重的焦慮。她對我談起台灣的同學似乎都很發達，唯有她不行，只是一名窮教授。

我很不以爲然，對她說：「你現在有孩子要照顧，當教授

她念念不忘的，
仍然是昨日的光榮。

不是很好嗎？課輕鬆，自己的時間好安排，可以顧及家庭，又有穩定的收入。其他職業婦女，好多人都羨慕還來不及呢！」

阿玲不這麼想，她說：「但是我以前比別人都強，現在舞台上都是別人在表演，我完全沒有上台的機會，只能當個觀衆。」

畢業十幾年了，物換星移，阿玲已經從學生變成爲人妻、爲人母、爲人師，可是她念念不忘的，仍然是昨日的光榮。

昨天早已逝去，消失得渺無痕跡，我們的心卻脫不出羈絆，掙扎不出捆綁，深深陷在昨日的泥淖中。

有人說，少年得志並非福。十幾二十歲就暴享大名，往後的人生路，只會更難走。我倒覺得，人生在任何年紀得志，都會阻礙一個人的前途。

我有許多朋友，都是在急衝至人生的巔峰之後，突然無所適從，抬起腳不知該踏向何方。而不論他們手上擁有的，是多麼難得的幸福，他們總是暗自喟嘆：「現在不行了，想當年我是多麼厲害。」

他們忘記了，只有拋棄昨天，才能腳踏實地活在今天。生命不停流轉，轉過青春年少，轉過昨日光榮，轉進新的階段、新的日子，停留在昨天的回憶裡，你必定會錯過今天的風景。

而今天有今天的美麗，今天有今天的光榮，在等待著你我。把過往的失敗與成功都拋在後面，向前邁步，邁向我們今天的光榮。

沒有上過一天學的杜瑞爾說：
「科孚島的童年生活，
塑造了我的一生。」

創造力的源頭在哪裡？

最強的創造力，是生命硬碰硬撞擊出來的。

讀好書，真是一種享受。

最近讀到英國動物作家杜瑞爾寫的書，讀來真是開心。他在《我的家人與其他動物》這本書裡，談到他和家人旅居希臘小島時，那種完完全全與大自然融合的生活。每天趴在地上看昆蟲變色，和烏龜玩耍，抓難纏的螳螂，養可憐的喜鵲。

杜瑞爾十歲時，從陰沉沉的英國移居到陽光普照的希臘科孚島，一住五年。這位從來沒有上過一天學的作家說：「科孚島的童年生活，塑造了我的一生。」

等杜瑞爾二十二歲的時候，他已經開始組織遠征隊，到亞洲、非洲、美洲、澳洲等地去採集動物。後來他又成立了動物園，並且以信託基金的方式來推動野生動物保育的工作。

這位在動物保育方面，始終走在全世界最前線的專家，並不是任何偉大學校栽培出來的菁英。他是一個生活者，一個真正在大自然中成長的人。

他一生的工作、靈感、源源不絕的驅動力，都來自於一個自由放任的童年。

杜瑞爾的臨終遺言裡，有一段話說：「就我個人來說，一個沒有鳥，沒有森林，沒有各式各樣大大小小動物的世界，我寧願不要活在其中。」

看見這樣一位獨行其是的人物，眞是教人感慨！

他所做的事情，在一開始，往往被同行認爲是離經叛道，可是隨著時間過去，大家終會體認到他才是正確的，並且樂於

他的開創力
來自於直接的生活經驗，
所以生猛而且無所顧忌。

追隨他的腳步。

杜瑞爾不曾受到學院的拘束，他的開創力來自於直接的生活經驗，所以生猛而且無所顧忌。

書本、學校、教育，都是好東西；不過這些都只是別人的經驗，是間接的學問，二手的知識，豐富有餘但是震撼力卻嫌不足。

最強的創造力，是自己從生活中體驗來的，是生命硬碰硬撞擊出來的。

童年、人生的烙印、走過的痕跡、眞眞實實活著的歲月，是一個人最豐富的寶藏，任何時候永遠取用不竭。

封閉的象牙塔裡，挖不出珍寶；唯有誠實地走進世界，蒐集自己的經驗，才能尋得創造力的源頭。

3
用柔軟的腰身，做一個漂亮的旋轉

唯有保持身體與心靈的絕佳柔軟度，我們才能從新的角度來體察外在的變化，繼而思索如何以全新的態度去因應它。

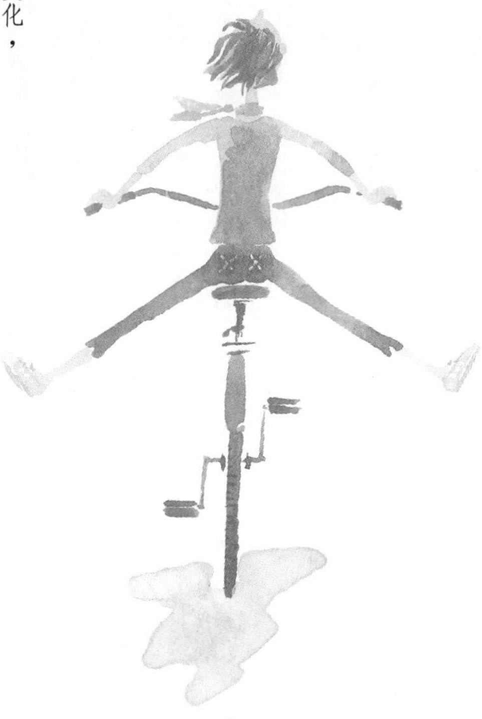

保持絕佳的柔軟度

人生中的轉折，需要極大的謙卑。

我有幾位朋友，原本在自己的行業裡，都是箇中翹楚，資深、有經驗、能力強，提起他們的字號來，沒有人不誇讚。

前些時候，他們分別轉換了工作環境，有人從大公司進到小公司，有人由上班族變成自由人。照理來講，他們所從事的仍然是原先自己最擅長的領域，環境雖然有所變化，但是應該不至於造成太大的阻礙。

可是我所認識的這些前輩、顧問、大姐頭、大哥大，居然都顯得垂頭喪氣，信心大失。

爲什麼這些曾經叱咤風雲，如今也仍然聰明優秀的人，會

我仔細看他們，
發現他們似乎都被嚇住了。

突然變成洩了氣的皮球，不復往日的風發意氣？

其中一位朋友跟我說：「這一行做了這麼多年，現在卻愈做愈害怕。」

另一位則表明：「完全不知道自己應該做什麼，腦中一片空白，心中一團茫然。」

身爲一位旁觀者，我仔細看他們，發現他們似乎都被嚇住了。這些大有來頭的傢伙們，到底是被什麼了不起的東西給嚇住了呢？

嚇他們的，不是別人，正是他們自己——一個成熟、成功、資深、老大的自己。

過去日積月累的成就，使他們變得高高在上，變得自負自滿，環境一旦轉變，他們僵硬的身段，就完全顯露出來。

不用會跳舞，也應該明白，如果希望做一個漂亮的轉身，必然要應用柔軟的腰身。誰曾經見過身軀僵硬，而能美麗旋舞的人？

人生中的轉折，需要極大的謙卑。

唯有保持身體與心靈的絕佳柔軟度，我們才能從新的角度來體察外在的變化，繼而思索如何以全新的態度去因應它。

變化並不可怕，環境並不可怕，整個世界都不可怕，最可怕的是一個緊握著過去僵硬的身段，不肯用柔軟和謙虛來重新學習的自己。

我很想向我的朋友們說：「趕快放下老大的身分，像無知的孩子一樣重新看看自己，你們仍然是最優秀的，一點也不用害怕。」

零基預算就是
在每個新年度開始時，
把上一年度的預算歸零。

從零開始

個人的預算，除了金錢，更重要的是時間。

美國在卡特總統的時代，曾經實施過一項破天荒的政府政策，這項政策起源於一種會計作業，它是會計人員作年度預算時所使用的方法之一，叫做「零基預算」。

零基預算的觀念一推出，旋即在美國政府部門產生巨大的震撼。

簡單說，零基預算就是在每個新年度開始時，把上一年度的預算歸零，重新審核各部門的需要，重新編訂新的預算。

以往一個單位的年度預算，如果是一千萬，按照過去的政府作業，新年度通常還是照舊給你一千萬，或者隨著物價波動，調整一下，給你一千二百萬。

現在可不同，過去的一千萬統統歸零，一切重新來過。新的預算可能認定這個單位只需要三百萬，就可以有效運作，或者更狠一點，鑑於績效不彰，乾脆把整個單位裁撤掉，一毛錢也不撥下來。

零基預算，是徹底的改革，不保留老規矩，不因襲舊習慣，在新年度，一切從零開始。

「從零開始」的觀念，其實也可以借用到我們每一個人身上。

新年度，看看我們自己的預算，是不是可以徹頭徹尾發動一次革命？

景氣不佳，三年換新車的計畫，修正為五年；榮升為主管，交際與應酬的層面必須積極擴大；孩子上了小學，才藝和語文

不再受制於老舊的包袱，
新年度一切從零開始。

的培養，也應該及早開始。

加加減減，金錢的處理，有必要愛恨分明。愛者加，恨者減，把以往臃腫難看的財務狀況，雕塑出凹凸有致、令人滿意的美麗曲線。

個人的預算，除了金錢，更重要的是時間。

一年的時光過去，如今可以重新做人。

以往太多酒肉徵逐，弄得身體大壞，新年度要把七個晚上的應酬，改成七個晚上，晚晚都在跑步機上消磨；以往工作操勞，親子關係愈行愈遠，新年度夜夜加班無妨，至少要把週末假日空出來，一家人享受遊山玩水的親密滋味。

不再受制於老舊的包袱，新年度一切從零開始。

一個國家、一個政府，都可以重來，一個人還有什麼做不到呢！

有麻煩才有生意

從機會的角度來看，別人的麻煩往往正是我們的良機。

最近讀了一本偵探小說，會選上這本書來讀，是因爲它有一個趣味的書名，叫做《找麻煩是我的職業》。

我們正常人的職業都很乏味，教書、寫文章、搞電腦、作業務，最好玩的也不過是唱歌跳舞、演戲、打球。誰的職業可能跳脫出這些範圍呢？

有人不需要做我們一般人乏味的工作，只要每天找麻煩就可以謀生，這倒新鮮。

小說中的雇主要給偵探一個案子，但是這個案子顯然很棘手，所以雇主事先警告他說：「當然你可能會惹上麻煩。」

生意從來不是出自於太平歲月……

偵探想起最近生意很差，自己需要這筆錢，於是瀟灑地說：「找麻煩是我的職業。」

這句話的原文是 Trouble is my business. 嚴格說來，應該譯成「麻煩是我的職業」。

這麻煩不大可能是由偵探主動去找什麼人麻煩，多半是已經有一大堆人陷在一大堆麻煩裡，而偵探爲了一天賺個幾百塊錢，只好挺身跳入這一大堆麻煩當中去。

麻煩本來不是好事，任何人聽到有麻煩，都要敬而遠之。可是居然也有人，要把麻煩當飯吃。

其實，說是職業仍然不大妥當，更直截了當的說法，偵探眞正的意思應該是：「麻煩是我的生意。」

生意從來不是出自於太平歲月，有問題、有危機、有麻煩，才有生意的機會。這樣看來，麻煩並不是偵探獨享的生意，我們任何人都可能進去插一腳。

從機會的角度來看，別人的麻煩往往正是我們的良機。當然，我們自己也許不免會陷身於困境，需要像偵探一樣，運用智慧、計謀，對付危險，更不時必須勇敢、鎭定，闖入虎穴，揪出罪魁禍首，保護我們可憐的雇主。

偵探永遠不會發財，小說裡的偵探總是在為這個月的房租、下個月的伙食發愁，然後麻煩就會出現，偵探接下生意，賺到一筆收入，日子又可以繼續下去。

我們喜歡偵探小說，大半也是因爲我們自己和書中的窮偵探總是同病相憐，爲了需要一筆錢，把自己捲入一大堆麻煩裡。

不過也無須太過憂慮，偵探總能解決麻煩，做成生意，我們自己好像也往往如此。

「最近什麼時候有空？」
「等一等，我得查查看。」

即興起舞

在椿椿件件預訂好的活動中，偶爾即興起舞，倒也別有一種脫軌的快樂。

工商社會裡的人，都離不開時間密密的鎖鍊。

比較發達的，一切有祕書在打理，幾點吃飯、幾點坐車、幾點鐘要見誰，全都安排得緊緊湊湊，不經過祕書那道關口，根本休想見到本尊。

平民化一點的，不是把一舉一動輸入筆記型電腦隨身攜帶，就是抱著胖胖一本萬用手冊，行住坐臥，須臾不離。

一旦有人問起：「最近什麼時候有空？」

得到的回答必然是：「等一等，我得查查看。」

這一查，往往是山高水闊無窮盡，本週內絕對不行，下週勉強能擠一點時間，要想寬裕從容，那麼過幾個禮拜是正常事。眞正的忙人沒有空閒，眞正的閒人也得貌似忙碌，以免被人看輕了。

不管是訂約會、談事情、安排活動，大家都很文明，知道得早早預約，免得臨時碰釘子。

我甚至聽人談起，本來想到朋友家裡拜訪，對方居然拒絕好友臨時起意的興致，告訴他：「想來我家，最好事先預約。」說的人氣憤塡膺，旁聽的人卻看不出什麼同情之意，這年頭做人不要太浪漫，臨時起什麼意，最後碰一鼻子灰的還是自己。

連串串門子都要預約，其他正式會面自然更不在話下。

上個月出版社臨時通知我，有一個五天以後的演講，不知

我是橡皮筋、海綿、
沙發床嗎？
這麼有彈性！

道我能不能去。我查查當天沒事，就一口答應。

沒想到負責聯絡的女孩子喘了一口大氣，高興地說：「黃小姐，你眞是有彈性！」

我是橡皮筋、海綿、沙發床嗎？這麼有彈性！

事後想想，大概企劃任何活動，人們早已經習慣七早八早就要把時間排定，只留三五天的預告時間，根本是「不可能的任務」。

我只點了一個頭，就讓別人完成一件不可能的任務，得到的感謝，眞是出乎意料。

其實我根本弄不清楚，自己到底有什麼彈性。只是在椿椿件件預訂好的活動中，偶爾即興起舞，倒也別有一種脫軌的快樂。

一個吃得飽飽的容器

拿與給，一樣好。付出與承受，一樣是善與美。

新近認識的一位朋友，人很熱情。

大夥一起聊天，她覺得我好像說中了她的心事，堅持要請我到附近的餐廳去喝咖啡。

風和日麗的下午閒來無事，兩個人去喝杯咖啡，談談天，也不失爲打發時間的好方法。

午後安靜的餐廳，只有兩桌客人，我們坐下來，點了檸檬汁和水果茶。朋友的檸檬汁，三下兩下就喝完了，我的水果茶，濃濃一大壺，又熱又酸，一時半刻恐怕不易解決。

熱情的朋友一心想招待我，頻頻詢問還要吃什麼，偏偏我

我輕輕笑起來，
以前的我不也是這副德性嗎？

中餐吃得飽飽的，根本沒有什麼胃納。朋友還是熱心地點了一大盤零食，而且強迫我把它吃完。

奮力把零食消滅之後，沒多久，她發現另外一桌的客人正在用餐，一人一個小火鍋，看來熱氣騰騰，十分可口，便建議我們也來用餐，也一人一個小火鍋。

我推拒了三次，都沒有成功。

於是在下午四點，喝過一大壺水果茶，吃過一大盤散碎零食，加上腹中儲存的午餐，我居然又努力將一個小火鍋餵進我撐得不能再撐的胃裡。

我問朋友：「你總是這樣請客嗎？」

她說：「我一定要請別人，絕對不能讓人家請我，那樣太沒有面子了。」

我輕輕笑起來，以前的我不也是這副德性嗎？

有一種人，拿；有一種人，給。我一向也是愛付出的人，總是拚了老命要把一切都給人，請客吃飯，生怕別人吃得不夠多，餐後買單，手腳比誰都迅捷，絕不讓旁人付帳，絕不讓朋友會鈔。

現在想想，似乎太強勢了，也許周圍的人頂著一個撐得不能再撐的胃，也覺得不太舒服。

不記得是誰說過，「做一個容器是好的。」一個容器，可以承受，可以接納，讓希望給與、有心付出的人都能如願。一個容器，裝下所有的愛，讓世界上所有的愛，都有一個地方可以歸屬。

拿與給，一樣好。付出與承受，一樣是善與美。

下午四點多，已經用完晚餐的我，赫然發現，自己在強勢的角色之外，也可以如此軟弱地接受一份好意，做一個吃得飽飽的容器。

她羨慕別人
一頭蓬鬆的秀髮，穿得五顏六色，
花枝招展……

開心耍個花樣

真實的人往往是多面的，是矛盾的，是複雜的，有許多值得探索之處。

以前認識一位電視女主播，她在螢光幕上的形象，被塑造得很權威，頭髮一絲不亂，總是穿著整齊的西裝外套，這樣才能襯托出她的專業地位。

可是私底下，她常常抱怨自己並不喜歡嚴肅的造型，她羨慕別人一頭蓬鬆的秀髮，穿得五顏六色，花枝招展，而這些打扮正是她的禁忌。

有時我們朋友會建議她，工作時不妨正經，平常就放鬆點，打扮得奇怪些也沒關係。可是也許習慣成自然，即使在不工作的時候，她看起來也是挺硬線條的。

所謂的形象，實在是個痳煩事。

媒體時代，人們出現在大衆面前，都要努力塑造良好的形象。而或包裝、或造型，各式各樣的專家都在教導人「怎麼樣做你自己」。

普普通通、自自然然，似乎不夠吸引人。在稍縱即逝的傳播媒體前面，你必須第一印象就光鮮亮麗，第一句話就妙語如珠，第一次露面就能贏得滿堂喝采。

而且不論本性如何，在群衆面前，你所展現的，必須是一種經過設計的個性，是開朗就不可以憂鬱，是天眞就不可以成熟，是平易近人就不可以孤高自傲。

其實，經過設計的形象，雖然淸晰明確，卻也少了幾分眞人獨有的豐富性。眞實的人往往是多面的，是矛盾的，是複雜

鬆綁一下，作怪一下，
開心耍個花樣如何？

的，有許多值得開發、值得探索之處。

單調的形象，會讓女主播覺得不耐煩，也同樣會讓觀眾覺得日久生厭。在日常生活裡，許多人可能都會受限於一種職業、一種身分，久而久之，變成一個僵硬呆板的形象而不自知。有機會，讓自己鬆綁一下才好。

穿慣西裝的大老闆，也可以試試牛仔褲；端莊嫻淑的職業婦女，也不妨活潑可愛一下；樂觀爽朗的人，心裡有苦水，吐吐也無傷；親民愛民的人，也需要獨處片刻，治療自己的痛楚。

形象之外，每一個人都有一個更複雜的自我，需要去照顧。讓真實的自我更有彈性，更富包容力，或許才是最健康的成長之道。

鬆綁一下，作怪一下，把規規矩矩的形象暫時擱置一旁，開心耍個花樣如何？

4

意志力的淬煉，完全在於最後一刻

不論在起點、終點或是半路，謹慎小心，始終如一，總是最好的對策。慎終如始，一心不亂，才能順利完成任何任務。

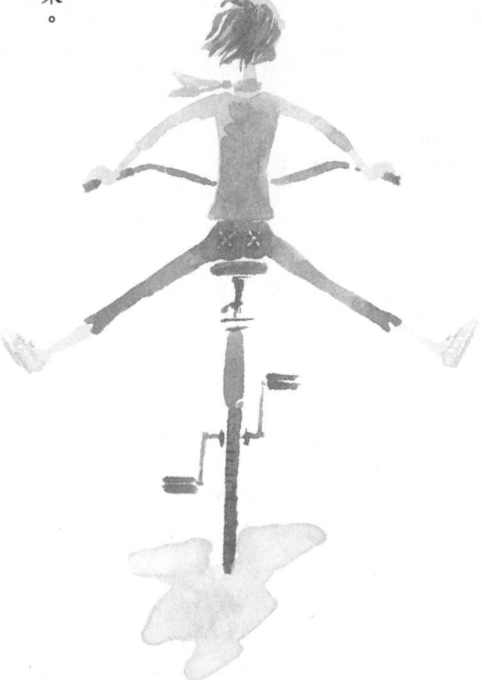

怎麼寫一本書？

一加一加一，就變成偉大，變成不可能。

我們每個人做自己拿手的事，都覺得很容易。可是從旁觀者眼中看來，卻往往驚嘆莫名。

不僅是在別人耍特技、變魔術、練氣功的時候，我們瞠目結舌，就是一般的職業，有時也令人敬畏。

我每次經過花店，看人能把一盆花插得如許雅致，都衷心折服。還有糕餅師傅擠花的技術，也總會讓我駐足欣賞半天。有些職業太深奧、太難懂，像醫生、建築師，就不大吸引人去探個究竟。

寫作這個行業還不算太艱鉅，偶爾會惹起旁人的興趣。大

一本書是從一篇文章開始……

部分人都會寫字，寫張便條或者寫個報告，都不算太困難，但是提到寫文章，甚至寫一本書，大家就覺得像蛋糕師傅擠花一樣，有點神奇，可能需要專門技術。

常常有人問我：「你怎麼寫出一本書呢？我連寫一篇短文章，都覺得痛苦不堪。」

搞文字的人、搞數字的人，有時都好像變魔術似的，伸手到空箱子裡攪一攪，慢慢拉出來，一條紅絲巾結著一條黃絲巾，結著一條綠絲巾，一條接一條，永遠拉不完。

更有些人希望能寫一本書，躋身作家的行列，他們會追著問：「你怎麼寫第一本書？寫一本書會很難嗎？」

「其實一點也不難。」我總是鼓勵別人踏入這個行業，反正自己已經泥足深陷，無法自拔，多拖幾個人下水也熱鬧些。

「一本書是從一篇文章開始，寫一篇短文章不是難事吧！」我是懶惰的人，一輩子都想做容易事，寫作在我看來，原本是容易事。

「寫好第一篇文章，再寫第二篇，一篇一篇積起來，很快就可以變成一本書了。」寫作有其高妙玄祕的境界，難以言說，但作為一種技術，它自然也有平凡實際的一面，只要腳踏實地，一步一步去做，難關應聲而解。

一加一加一，就變成偉大，變成不可能。

一，其實很容易。大部分人都做得到。只是把「一」累積上去，積得厚厚的，卻未必人人都有這份耐力。

許多看來厚重的東西，像一本書、一肚子學問、一樁事業、一份豐厚的家產，並不如想像中那樣神祕難解。說穿了，也不過是「一」，一點一滴，一天天累積起來。

許多年前，
我曾經在雜誌社裡工作。

要快、要好

快而不好，好而不快，顯然都不夠標準。

許多年前，我曾經在雜誌社裡工作。

由於擔任的是總編輯一職，不免要監督管理一些新進的記者。我們政府對於新聞事業有一套奇怪的認定標準，在報社負責採訪的人，可以稱爲記者，雜誌社卻不行，雖然他們實際擔任採訪工作，卻只能稱爲編輯，不可以使用記者的名稱。對於這項不合理的規定，幾十年來始終沒有更改。

所謂編輯，本來應該是指把記者寫好的報導，加以潤色修改，然後編排刊出的人。

如今爲了符合規定，雜誌社只好顚顚倒倒，幕前幕後的工作人員，都稱做編輯。記者叫做採訪編輯，而真正負責編排作業的叫做文字編輯或者版面編輯。名不正言不順，說起來是荒唐事一樁。

當時我有一位朋友，在知名大學新聞系擔任教授，承蒙他不嫌棄，把班上的高材生推薦給我們。

其中有一位學生小敏，在學校的成績非常優異，可是一到辦公室就全變了樣。

我們所做的雜誌是月刊，每月初出版，所有的採訪編輯，大約在月中之前，總要設法繳出一兩篇文稿。作採訪、寫報導，本來都不是輕鬆的事，可是責任所在，即使徹夜不眠，也應該在截稿日之前，把文章繳出才是。

大半的採訪編輯都能如期達成任務，唯有小敏例外。

小敏每天準時上班，常常八個小時都躲在清靜的會議室準

做自己擅長的事，
做得快又好，
這才是我們應該走的方向。

備寫稿，也許是求好心切，往往磨了大半個月也寫不出一個字，到了繳稿日仍然是一片空白。一直到下個月，雜誌已經出版了，她的稿子才終於難產出來。

三個月的試用期滿之後，我無奈地勸小敏轉行，不僅是轉離開我們雜誌社，最好是轉離開採訪工作。我記得自己告訴她：「想要做一個好記者，你必須具備兩個條件：要快、要好。如果不好，還有編輯可以幫你修改，可是不快，卻沒有人能幫上任何忙。」

要快、要好，是任何一個行業熟練的專業人員，應該具備的條件。快而不好，好而不快，顯然都不夠標準。新聞事業固然有這樣的要求，相信其他許多行業也不例外。

除了新聞界，小敏還有寬闊的發展園地。做自己擅長的事，做得快又好，這才是我們應該走的方向。

每天三個字，很簡單吧！

時間是個沉穩厚重的英國紳士，它永遠踩著不變的步伐，那油滑急促的，反而是我們自己。

每到歲暮年終，就會聽見許多感嘆：

「時間過得眞快，又是一年了。」

「唉呀，什麼事都沒做，一年就過去了。」

「這是怎麼回事，已經年底了嗎？我好像覺得才剛開始，就已經結束啦！」

「怎麼可能呢！不是才吃完春酒，一晃眼怎麼又要過年了，我這一年可是糊裡糊塗混完的。」

今年聽見這些人說這些話，不稀奇。明年，還是聽見這些

一年不短，它整整有三百六十五天。

人說這些話，還是一點也不稀奇。

時間應該算是我們最好的朋友，它每分每秒都和我們廝守在一起。然而，仔細想來，我們卻似乎從沒有認眞去了解這個親近的好朋友。

年復一年，時間總是匆匆溜走。

我有些不甘心，趁著冬寒歲末，時間準備換新裝的時候，用力扯住它的衣袖，想看看清楚它的長相。

這一瞧，不得了，原先我以爲時間是個油滑的傢伙，總是踏著滑溜板，一閃而過。現在逼近勘察它的眞實面目，卻赫然發現，其實時間是個沉穩厚重的英國紳士，它永遠踩著不變的步伐，那油滑急促的，反而是我們自己。

仔細看來，一年不短，它整整有三百六十五天。

每一天，認眞付出一點點，三百六十五天，就會積下可觀的成果。

英語專家教人學英語的祕訣，就是一天背三個單字，一年一千字，五年五千字，基本的會話可以不必發愁了。

草書大師于右任，鼓勵大家多寫書法，怡情養性。可是很多學生都向大師抱怨：「草書難寫又難認，恐怕一輩子也學不會。」

于右任告訴學生：「草書一點也不難，一天學寫三個字，只要三五年時間，再難的字也一定認得清，寫得明。」

一天三個字，很簡單吧！誰也做得到。

時間像紳士一樣慷慨大方，一年裡，它給我們扎扎實實的三百六十五天。一天三個字，很少，只不過是小小一個數字，但是一天一天實實在在累積下來，就變成極爲可觀的一千字。而一年又一年，我們努力的成果淸晰可見。

慷慨的三百六十五天，
正大大方方擺在面前，
等待我們好好享用。

別人都在感嘆，一年容易匆匆過。
我卻發現，慷慨的三百六十五天，正大大方方擺在面前，
等待我們好好享用。

順利完成任務

開始時，不知如何著手；結束時，不知如何挺進。這都是一般人容易踏入的陷阱。

俗語說：「萬事起頭難。」

我自己曾經參與兩本雜誌的創刊工作，因此特別可以了解從零開始是一件多麼不容易的事。

認眞講來，一件工作的完成，最困難的時刻有三：開始、中途和結束。

開始雖然艱困，但是正因爲人人都明白它的難處，所以反而戒愼恐懼，全力以赴，吃盡苦頭是免不了，千辛萬苦是免不了，卻也容易履險如夷，平安度過。

開始雖然艱困，
卻也容易履險如夷，
平安度過。

眞正讓人不提防的，反倒是將近結束時，功敗垂成。

西洋人說：「棒球是從兩好球以後才開始。」這話說得有道理，三好球就三振出局，通常在第一球和第二球，球員總是全神貫注，準備奮力一搏。可是連續兩好球以後，緊張的氣氛會變得有些散漫，沒有鬥志的球員會乾脆放棄，等著被三振出局。

然而，精明的打者卻懂得，這正是投手與守備陣營最容易放鬆的時刻，只要善加利用，往往可以創造出扭轉局勢的一擊。

我們中國人也說：「爲山九仞，功虧一簣。」瀕臨完成之前的一刻，心理上最疲憊，成與不成只有一線之隔，可是就有許多人在這最後一步敗下陣來，使先前的努力全部化爲烏有。

旁觀者有時感到可惜，爲之扼腕。當局者才知道，九十九步與一百步，這一步之差正是最難突破的瓶頸，意志力的淬煉，完全表現在這最後關頭的關鍵一刻。

開始時，不知如何著手；結束時，不知如何挺進。這都是一般人容易踏入的陷阱。

賽跑選手在槍響的一刻，必須用最正確的姿勢起跑，緊緊抓住最佳時機，沒有鬆懈怠慢。而在抵達終點之前，則必須拚盡最後一絲力氣，用最快的速度衝刺，平平穩穩的正常步調是不夠的。

至於已經破除萬難、順利起步，卻又半途而廢，更是疏忽了，半途上可能遇到的障礙，並不亞於起步之初。就在你放心大膽，以為波濤已過，從此踏上坦途之際，平地起風雷，教人猝不及防。

◎順利完成任務

095

慎終如始，
一心不亂，
才能順利完成任何任務。

不論在起點、終點或是半路，謹慎小心，始終如一，總是最好的對策。慎終如始，一心不亂，才能順利完成任何任務。

時間的價值

在時間裡，沒有不可能的事。

前幾年，突然感覺自己的體力愈來愈差，爬幾級樓梯就腿痠腳軟，氣喘吁吁。

推想起來，大概是伏案寫作日久，平時又總待在室內，不是讀小說就是看電視，少有活動，時間長了，不知不覺身體機能都衰退了。

下定決心辭去辦公室工作後，發憤圖強，規定自己每天一定要做運動，外帶多走路，每天走上一萬步。

走路倒不難，本來平常就喜歡走來走去，腰上掛個計步器，每天早晚散散步，輕輕鬆鬆達成目標。

我的鞋最白最亮，
一看就是隻菜鳥，
眞是羞愧！

運動就難囉！

大半的運動都需要有伴，網球、高爾夫都是朋友們熱中的項目，可是一想到還要通電話、約時間、奔赴固定的場地，興致就削減了一大半。更甭提，球友們的時間難湊，不知多久才能約上一次，根本達不到運動的效果。

求人不成，反求諸己，自己去跑步，簡單又踏實，天天可行，又不需理會旁人有空沒空。

剛開始執行新計畫，興匆匆買了雙名牌慢跑鞋，到運動場上一看，衆家跑友，就屬我的鞋最白最亮，一看就是隻菜鳥，眞是羞愧！

鞋子太新，技術當然也差勁。跑不上兩圈，就幾乎累垮，只好走兩圈，跑一圈，連跑帶走，慢慢熬完十圈，算是有個交代。

好不容易等到下雨天，冒著雨儘往水坑裡踩，一心要把白鞋踩出髒兮兮的老鳥樣子。

鞋子搞成灰灰白白、悽悽慘慘的時候，技術也大有進步。一口氣跑上十幾圈不成問題。整個人顯得有活力多了，而每天跑步也成了欲罷不能的功課，一天不做，全身都不對勁，好像連心情都不快活。

有時候在運動場上看到新來的菜鳥，和我當初一樣，穿著嶄新的球鞋，跑不上兩圈就東倒西歪，彷彿連脚都抬不起來。實在不敢相信，如今我可以輕輕鬆鬆繞圓圈，跑個沒完沒了。

其實也不難！

一個月加一圈，點點滴滴累積，一晃眼幾個月過去，成績自然顯現。在時間裡，沒有不可能的事。

我在跑步中，重新認識時間的價值。

他嘴裡叨唸著：
「我可以給蛇畫隻腳。」

蛇本來沒有腳

懂得在該停止的時候停止，在該完成的地方歇手，才是真智慧。

《戰國策》裡面有一個故事，說楚國有人要請他的賓客們飲酒。客人都說：「這裡的酒要給我們好幾個人喝，恐怕不夠，要是只給一個人喝，那就綽綽有餘。不如我們在地上畫蛇，誰先畫好，誰就可以喝酒。」

其中有一個人搶先畫好一條蛇，他左手拿著酒壺，右手還在繼續畫，嘴裡叨唸著：「我可以給蛇畫隻腳。」

他的腳還沒完成，另外一個人已經把蛇畫好了，他一把搶過酒壺，說：「蛇本來沒有腳，你怎麼能替牠畫上腳呢！」接著就把酒壺舉起來一飲而盡。

這個故事就是「畫蛇添足」這句成語的來源。故事聽起來很可笑，哪個人會笨到去給蛇畫隻腳呢？但是在現實生活裡面，這句成語又常常能夠派上用場。可見畫蛇添足的笨傢伙，不是只活在《戰國策》的年代。

在已經完成的工作上虛耗工夫，其實是一種浪費。蛇畫好了，就該趕緊喝酒。一項工作完成了，就該趕緊奔赴下一個目標。一個人生階段結束了，就要趕緊轉身，踏上另一段旅程。

酒壺是不會等待的，你不喝，別人一把搶去，大口飲盡。事業是不會等待的，你不行動，別人一把奪走，成就屬於先下手爲強的人。生命更是不會等待任何人的，你不起步，別人一路衝刺，就只能眼睜睜看著舞台燈光與自己愈行愈遠。

結果錯過了美酒，
錯失了獎賞，
落得一無所有。

多少人在畫好的蛇身上流連不去。

學業已經完成了，還留戀學生生活的舒適，不想邁入社會。一個行業已經沒落了，還再三徘徊，不願轉進新的戰場。職場經驗已經夠豐富了，還貪圖大樹底下好遮蔭，不肯冒著日頭，自立門戶。

蛇本來沒有脚，第一個畫好蛇的人，本來應該喝一大壺酒。是因爲不懂得在什麼時候停止，是因爲不懂得在什麼時候已經完成，結果錯過了美酒，錯失了獎賞，落得一無所有。

會畫蛇，不稀奇。第一個畫好蛇，不稀奇。能搶先喝到酒，才是眞本事。

聰明、能幹、會儘早完工，都不稀奇。懂得在該停止的時候停止，在該完成的地方歇手，才是眞智慧。

5 保持活力，平靜度過危機

人生也就如同一趟旅程，每個人都希望能走得更遠，看得更多，收穫更豐碩。而好的計畫，好的身體，正是幫助我們實現夢想的最佳工具。

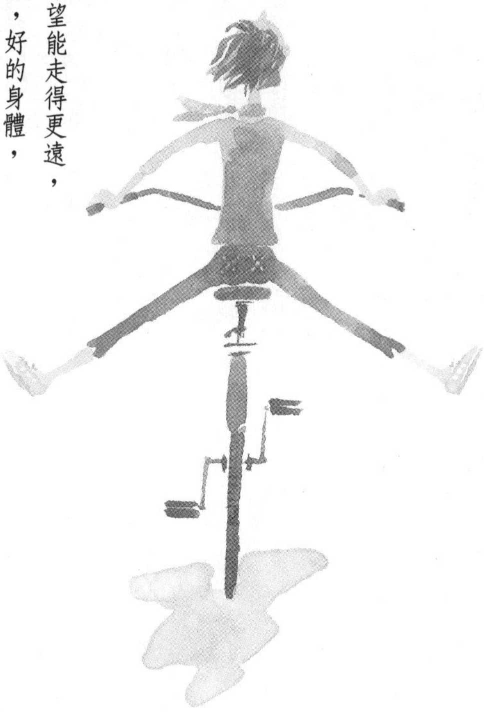

女孩子去旅行

好的身體，正是幫助我們實現夢想的最佳工具。

旅行，是很多人的夢想。

旅行，曾經是我唯一的夢想。

我從學校畢業，開始工作以後，只有一個心願，就是要去環遊世界。

等到工作了幾年，手上握有一筆積蓄，簡直就像一個浪蕩的敗家子，打算走遍天涯海角，敗光所有的家產。我只背了一個背包，買了一張機票，一個人飛到歐洲，去旅行了五十二天。

這是我自助旅行的開始，以後流浪過許多地方，時間或長或短，記憶或深或淺，但似乎都是順著一條已經開闢好的坦蕩

我有時爲了一個月的旅行，
要準備半年之久。

大路前進，並沒有遇上什麼困難。

最難的是第一次，最難的永遠是開始。

常常有人問我：「要怎麼樣去自助旅行？」

更常常有人問：「一個女孩子要怎麼樣去自助旅行？」

去旅行，當然要做好計畫。

我有時爲了一個月的旅行，要準備半年之久。讀旅行書，找資料，選擇吃住的地方，了解文化背景，研究值得探訪的景點。總之，準備得愈充分，玩起來愈是得心應手。

至於女孩子，嗯，會有很大的分別嗎？

比較重要的是要練身體。自助旅行時，不論精神上或身體上的負荷都很沉重，除了要有靈活的頭腦，應付一路上發生的各種狀況，還要有強健的體魄，不生病，能背重行李，能走遠路，這樣才能看得多，玩得盡興。

女孩子平常愛漂亮，都喜歡把自己餓得瘦巴巴，一副弱不禁風的樣子，好惹人憐愛。

其實，瘦弱的身體並不值得稱許，女孩子如果體力弱，自然容易在心理上覺得膽怯，不敢冒險，也因而自我設限，活在窄狹的生活中，錯失了投入更寬闊世界的機會。

適度地鍛鍊身體，並不是難事。

打算自己一個人去旅行，或是幾個朋友一起自助旅行，嘗一嘗闖蕩天涯的滋味，只要在行前一兩個月，每天做長距離的步行，或者慢跑，或者勤爬樓梯，持之以恆，很快就會發現自己的體力大有進步。

人生也就如同一趟旅程，每個人都希望能走得更遠，看得更多，收穫更豐碩。而好的計畫，好的身體，正是幫助我們實現夢想的最佳工具。

女孩子，男孩子，都一起來逐夢吧！

日本的電視節目
採訪一對夫妻，
挺稀罕的。

金髮阿嬤跳有氧舞蹈

人的可親可愛，跟年紀無關吧！

夫妻兩人如果年紀相差太大，我們往往稱他們是「老少配」。

老少配裡，老夫少妻比較被人熟知。有時在新聞中也會發現，國外的大明星已經七、八十歲了，還娶一個二、三十歲的小妻子，而且照樣生兒育女。每每新聞裡出現一張全家福的照片，鶴髮配紅顏，還加上手中抱著的小嬰兒，畫面甚爲突兀。

倒是有一次在日本的電視節目裡，看到他們採訪一對夫妻，挺稀罕的。

這對夫妻也是老少配，不過令人意想不到的是，先生年紀小，太太反而比先生大了三十歲。

兩人初相識時，先生只有二十多歲，太太已經五十多歲，結過婚，丈夫因病過世，三個孩子中最大的也已經二十餘歲了。男方喜歡上女方，知道她年歲稍長，仍然執意要娶她。等到快結婚時，核對出生年月日，才發現女方居然長他三十歲，可是癡情的先生並未改變初衷，依舊認定這就是他尋尋覓覓的伴侶。

如今兩人已經結婚將近十年，男方三十多，女方已經六十多歲了，夫妻感情還是如膠似漆。

只聽故事，會覺得不可思議，可是出現在螢光幕上的妻子真是可愛，會讓人覺得和她一起生活必然是件幸福的事。

六十多歲的日本妻子，染著一頭金黃色的蓬蓬秀髮，穿迷你裙、長馬靴，每天游泳兼跳有氧舞蹈，保持好身材，做兩份

誰敢嫌她老，
就下場和她比一比吧！

工作之餘，回家還有空照顧同住的孫子。

她一直是這樣朝氣蓬勃，即使在早年喪夫、孤身奮鬥的時候，也總是活潑開朗、笑容滿面。

她的先生一認識她，就喜歡上她。而作爲一個觀衆，我在螢光幕上一看見她，也就喜歡上她。

人的可親可愛，跟年紀無關吧！

一個充滿活力、總是興高采烈的人，會讓人感染到旺盛的生命力，好像自己也受到鼓舞，想跟著蹦蹦跳跳，手舞足蹈一番。

金髮阿嬤穿著韻律服，大跳有氧舞蹈，誰敢嫌她老，就下場和她比一比吧！

補習體育

身體好，經常活動，頭腦自然聰明。

曾經看過一篇報導，談到一種奇特的教育觀念。報導中的父親是一位體育界人士，他對自己的獨生女有一套與眾不同的想法。

別人的父母親，都會催促小孩去上才藝班，補習英語、數學，這個父親完全相反，他不准孩子去參加補習，也不叫孩子去學習才藝。

這父親說：「我們家只准補習一門功課，就是體育。」

補習體育？可眞新鮮！

十三歲的女兒從小到大，一直在補習體育。課餘之暇，就這父親說：
「我們家只准補習一門功課，
就是體育。」

要學習新的功課，跑步、跳高、跳遠，而這一學期，她集中補習游泳。

做父親的認爲，身體好，經常活動，頭腦自然聰明，其他功課不用補習，一樣會有好成績。

當然，女兒在學校的成績科科都很優異，父親很得意，不過儘管成績好，體育還是不能放鬆，父親仍然常常陪著女兒，放學後就去上體育課。

教育的觀念時時在更新，時代的變化，有時從父母親對子女的期望上，可以嗅到新鮮的氣息。

這幾年受到漫畫的影響，以及體育明星的魅力發散，孩子們對籃球都十分著迷。幾千元一雙、樣式奇形怪狀的籃球鞋，成了最搶手的商品，年輕人漏夜排隊也要擁有一雙來向同學們炫耀。

穿上拉風的運動鞋，卻只在柏油馬路上走一走，從來不下場的運動白癡，固然不少。實際上，肯去射幾個籃、搶幾個球，秀一秀喬丹的瀟灑、櫻木花道的兇悍，這樣的身體力行者也愈來愈多。

社區、學校的籃球場，少有閒置的機會，不管天黑、下雨，總有滿身臭汗的傢伙，吵吵嚷嚷地爭一個球。

有些新設計出來的背包，也附有像鞋帶一樣交叉的繩索，拉開來變成網袋，剛好可以放入一個籃球，十分方便。

暑假的籃球訓練班，公告一貼出去，馬上爆滿。男孩子，女孩子都人手一球，繞過由小板凳組成的障礙，小心前進。

爲了要酷酷地打籃球，平常嬌生慣養的孩子竟然能忍受訓練的辛苦，哼也不哼一聲。

「補習體育」，或許這正是最新的潮流。

幾個常去的熟面孔，
一個個像傻瓜一樣，
一圈一圈跑個不停。

小學生的課外活動

所有的好習慣，最好是從童年就開始。

每天黃昏，我習慣到住家附近的小學去跑步。在操場跑上幾圈，汗濕了的T恤緊黏身上，這時一陣輕風吹來，成排的樹木在風中款款搖擺，全身的毛孔也在風中歡聲歌唱，這樣暢快的感覺，拿世界上任何財富來交換，我也絕不肯換的。

以前下午四點鐘一放學，小學生都回家了，偌大的操場就留給我們幾個常去慢跑的熟面孔，一個個像傻瓜一樣，一圈一圈跑個不停。

這半年多來，情況有些改變。

我們慢跑族霸占操場的優勢，遭到嚴重的挑戰。

每個星期總有一兩天，小學生們放了學還不回家，全擠在操場玩耍，有的兩人一組練習棒球，一個投球一個接球，球扔得不準，接得也蹩腳，一個球滾過大半個操場，只看見小蘿蔔頭跑得上氣不接下氣，忙著撿球。這到底是棒球訓練還是跑步訓練，眞有點看不明白。

另外有成隊的學生，穿著功夫裝，在練國術。老師在前面正正經經教課，後面的孩子已經不待號令，照樣演練，扭打成一團。連小女孩子也拳打脚踢，加入作戰的陣營。

原來是學校開闢了一些課外活動，讓各年級的學生們可以自由選擇去上英文、電腦或是體育課，一個禮拜一兩次，放學後利用校園的操場和空教室來進行。

上英文和電腦不稀奇，這兩門課幾乎已經變成這一代兒童必修的學分了。

上體育倒是稀罕。居然有孩子放著英文和電腦不上，願意把時間浪費在體育上，實在令人驚訝。

我看見那些在黃昏的微風中，胡亂扔球，胡亂扭打的孩子，眞覺得開心。

他們將來會不會變成體育健將，誰也說不準。不過，早早養成運動的習慣，他們這一生都會是愛玩耍、愛蹦跳、愛在大自然裡活動的孩子。

這樣的人生還不夠豐富嗎？

我在做孩子的時候，並不特別喜歡活動。倒是現在，常常運動，覺得自己活力充沛。而大自然裡陽光、綠樹、和風的美好，更讓人日日親近，愈來愈依戀。

所有的好習慣，當然最好是從童年就開始。

不過，對大人來說，任何一天開始也都不嫌遲吧！

一種透明的快樂

很簡單是不是？快樂本來就是這麼回事。

閒來無事，愛上跑步，已經有好幾年了。

起初只是想做點運動，舒活舒活逐漸老化的筋骨。熟朋友建議我去加入附近的健身俱樂部。聽從他的建議，我也參觀了一番各種健身器材，巡視了一遍游泳池。

新穎的設施看起來都很理想，地點離家也近，又有熟識的人作伴，似乎這應該是我的最佳選擇。

可是，嗯，我有一絲猶豫。

四個水道的游泳池，總覺得很狹窄，向上望去，玻璃屋頂是灰白色的，不大透光。沒有人使用的健身器材，一台台並列

如果可以，
我希望在藍天底下游泳。
我希望在紅土地上跑步。

成排，讓我想起辦公室裡排列整齊的灰色桌椅。

健身俱樂部可能還是比較適合繁忙的上班族，像我這樣野性不馴、流浪成性的人，看到玻璃屋頂，都想把它掀起來。

如果可以，我希望在藍天底下游泳。

如果可以，我希望在紅土地上跑步。

這麼小的願望，有什麼不可以！

決定不上健身房之後，不久我就找到屬於自己的藍天紅土，開始去跑步。

學校、公園都是跑步的好地方。每天早晚做做體操，跑上十圈八圈，流一身大汗，把T恤都濕透，踩著舒服的Nike回家沖澡。

曾經聽過一個外國男明星說：「人生最快樂的事，就是跑上十哩路，回家沖個冷水澡，然後坐下來喝幾罐啤酒。」很簡單是不是？但是快樂本來就是這麼簡單。

我也是在每一次跑步結束，吹著涼風回家的時候，感受到一種透明的快樂。

快樂可能都不是平白得到的。

夜以繼日讀書，考出了好成績，是真快樂。辛辛苦苦工作，贏得了獎賞，也是真快樂。付出了心血、時間、精力，就在自己幾乎被掏空，感覺倦怠無比的時刻，突然升起快樂的感覺，滿滿的。

身體也是一樣吧！

跑到最後一絲力氣都不剩，疲憊得想倒在地上不爬起來，這時只要有一陣風，輕輕拂過，就感覺莫名地舒暢，好像七情六慾都蒸發掉了，輕鬆得可以飄飄盪盪，如氣球般冉冉上升。

賠了這麼多錢，
大老闆照樣天天去打高爾夫。

大老闆的祕密

生活中至少有一部分，是我們可以控制的，是安全可靠的。

我的朋友林先生自己開了一家公司，規模雖然不大，但是無拘無束，倒也逍遙自在。

前些時候，林先生告訴我，他的一個客戶，因爲天災人禍，賠了幾十億。賠錢還不稀奇，稀奇的是，賠了這麼多錢，大老闆居然連眉頭也不皺一下，照樣天天去打高爾夫。

自己也開公司的林先生，很感慨地說：「人和人眞的有格局的大小，大公司的老闆就是格局大，即使賠大錢也不緊張。像我就不行，如果有個幾百萬周轉不過來，我就急得整晚都別想睡覺。」

最後結論是：「人家格局大，就可以開大公司。自己格局小，就安於小公司。這是沒有辦法的事！」

林先生想法應該也有道理。

人和人或許眞有先天的器量不同，有人大器，有人小器，各自能成就的事業自然互見高下。

有人說，這就是格局。格局大，包容力強；格局小，包容力弱；都是無法勉強的。

然而，也許是因爲愛讀偵探小說，養成事事推理的習慣。我從林先生的話中，卻發現到另一條線索。

我問他：「大老闆有打高爾夫的習慣嗎？」

他說：「是啊！常常打，起碼有十幾年了。」

這就對了。

雖然我的朋友林先生高談格局大小，可是在我的心裡卻認

大老闆的祕密，
也許很簡單，
我們每一個人都能學會。

定，經常打高爾夫這樣的運動習慣，是幫助大老闆度過危機，保持平靜的重要力量。

外在的世界每天起伏不定，縱使身爲大老闆，也和任何一個普通人一樣，無法完全控制周遭的環境，常常身不由己，在驚濤駭浪中飽受折磨。

然而，固定的習慣，卻可以舒展身心的抑鬱，讓我們體會到，自己畢竟仍然握有一些可以控制的東西——那就是我們的身體。

我們可以照著自己的意思去鍛鍊它，一天一天看到它保持活力，在穩定中一點一點進步。

不僅是運動，任何一種固定的習慣，都會使我們感覺到，生活中至少有一部分，是我們可以控制的，是安全可靠的。

大老闆的祕密，也許很簡單，不論格局大小，我們每一個人都能學會。

6 跟隨朝陽，一直堅持下去

每一天都是新的一天，昨天已經過去，睡一覺起來，新的朝陽帶來乾淨、完全沒有汙染的嶄新的一天。新的一天，一切從頭開始。

迷NBA，學NBA

三十秒內，一場球可以反敗為勝，反勝為敗。NBA的奇蹟是這樣創造出來的。

NBA本來只是美國的一個籃球聯盟，可是這些職業球員在經年累月的訓練與比賽下，展現出超越世界水準的精湛球技，令全世界球迷都爲之瘋狂。

如今透過衛星的轉播，我們幾乎可以分秒不差地收看到NBA的重要球賽。而像喬丹、羅德曼、皮彭這些名字，更是球迷心目中無可取代的偶像。

我在觀看NBA球賽的時候，常常感到驚訝。

驚訝的不是球員的球技，誰搶籃板球搶得最精采，誰的灌

沒有看過NBA，
就不可能了解什麼叫做
心臟都幾乎停止跳動。

籃英姿教人拜倒，誰的外線三分球神準無比。

我覺得最驚訝的，是各個球隊的素質居然如此整齊，比賽不僅不會出現一面倒的情況，而且經常是一路拉鋸戰，直到最後幾分鐘，還緊張得讓人喘不過氣來。

如果一個人沒有看過NBA，就不可能了解什麼叫做速度，什麼叫做精采的比賽，什麼叫做心臟都幾乎停止跳動。

我的朋友中亦不乏NBA迷，每逢球季必定熬夜看比賽，好長一段日子，都看見他們帶著一雙熊貓眼在白天辦公，朋友們也各有自己欣賞的球員，不是喜歡喬丹的輕盈靈巧，就是激賞巴克萊的兇悍勇猛。

唯有我，最佩服的不是任何一個明星球員，反而是絕大多數球員在比賽時所表現出的拚鬥到底的決心與毅力。

即使只剩最後三分鐘，這時體力已經消耗得差不多了，大部分人身上都有激烈衝撞後留下的各種疼痛，可是旺盛的鬥志仍然熊熊燃燒，教人懷疑這場比賽是不是才開打三分鐘。

三分鐘當然值得把握，好好打，還可以拿下不少分數。

就算到了最後三十秒，觀衆理所當然地預先判定了輸贏，球員卻絲毫沒有放棄。三十秒可以拿分嗎？技術犯規，罰球，兩分；抄球，長傳，外線投籃，三分。三十秒可以拿幾分？觀衆全都瘋狂，兩分、三分、五分，三十秒內，一場球可以反敗為勝，反勝爲敗。

NBA的奇蹟是這樣創造出來的。

直到最後，最後的最後，三分鐘、三十秒內，還在變化，還在迸發火花，還好看，還讓人睜大眼睛闔不攏來。

我們在哪裡就放棄了呢？

迷NBA，也學學NBA吧！

四年一次的選舉，
無疑是最盛大的慶典。

每一天都是新的一天

沒有「死定了」這回事，只要明天的太陽照樣升起，戰士照樣快快樂樂去打仗。

四年一次的選舉，無疑是最盛大的慶典。

政治愈來愈開放以後，所有的國定假日似乎都褪去了光彩。國慶日、總統誕辰、國父誕辰這些紀念日都只是聊備一格，沒有什麼認眞慶祝、舉國歡騰的氣息。

反而是選舉，全國上下總動員，從繁華的大都市到冷落的鄉間小道，處處旗海飄揚，宣傳車大呼小叫，候選人聲聲哀告，即使是最盛大的慶典，也擺不出這樣的陣仗。

身爲選民的小老百姓，大清早就被宣傳車的喇叭聲吵醒，出門要負責接收厚厚一疊大大小小的傳單，睜開眼全是紅紅綠綠的旗幟，走在路上素不相識的候選人猛和你握手拉票。偶一回過神來，眞不知今夕何夕，暫時可以過一過做太上皇的癮。

選前，小市民是太上皇；選後，只怕當選的人十個有八個，恨不得儘快將選民拋在腦後，尋找自己的升官發財之道。

我一向對政治不感興趣，對政治人物自然也沒多大好感。然而，觀察選舉，卻也不失爲了解人生的一個好方法。

其實，選舉和作戰一樣，必勝的決心很重要。

甲方候選人被人掀出緋聞，而且乙方握有確鑿的證據，局勢看起來，甲方是「死定了」。

第二天，甲方掀起另一個議題，嘲弄乙方候選人的不智。乙方忙著還擊，前一天的緋聞事件竟然沒有人再提起隻字片語。

選舉和作戰一樣，
必勝的決心很重要。

死定了的甲方，又變成一隻活跳跳的青蛙。

每一天都是新的一天，昨天已經過去，睡一覺起來，新的朝陽帶來乾淨、完全沒有汙染的嶄新的一天。新的一天，一切從頭開始。

你不能不佩服那些奮勇作戰的戰士，對他們來說，沒有「死定了」這回事，只要明天的太陽照樣升起，他們就照樣快快樂樂去打仗，不到選舉結束，絕不棄甲投降。

我們選出的候選人未必都是能幹的、清廉的、肯爲人民服務的。

但是不可否認的，最後會贏得勝選的，一定是經歷過許多場死戰，在每一個新的一天，還能跟隨朝陽，重新奮起，一直堅持到最後的人。

小學生的平常心

規規矩矩去做該做的事，沒有得失心，不懂成與敗。

我的小外甥準備參加學校的英語歌唱比賽，每天晚上都站在家裡的大床上練習說：「各位老師，各位評審，大家好，我是七號，我今天要唱的歌是 I Love You。」

歌唱比賽初步錄取前六名，妹妹答應她兒子，如果進入前六名，會給他一百元獎金，讓他去買鬥片。

鬥片是一小片塑膠片，比我們小時候玩的尪阿標大些，小孩子也是用來互鬥，看誰跳得遠，可以壓得住別人。

小外甥只有一百多片鬥片，全班最多的同學有一千多片，他還差上一大截，所以對一百元鬥片的獎勵，看得非常認眞，

常常是把得來的獎狀，
捲成一個紙筒，
隨手亂扔。

每天都規規矩矩地練習。

他才小學二年級，這是他第一次參加一項正式的比賽，但是我們都知道，這不會是最後一次，一個人一生中的種種比賽，大概就要從這裡揭開序幕。

小孩子在一大堆人面前上台唱歌，會有幾分緊張。至於比賽眞正的意義，名次高低，榮譽與否，似乎他並不完全了解，他在意的其實只是那些寶貝門片。

回想我自己做小孩子的時候，也常常是把得來的獎狀，捲成一個紙筒，隨手亂扔。偶爾被媽媽責罵，還會自我辯解說：「一張紙有什麼用！」

我眞正喜歡的是作爲獎品的糖果、餅乾和小玩具。然而也並不會爲了得到獎品，去拚命爭取好成績，只是在媽媽的耳提面命下，規規矩矩去做該做的事，沒有得失心，不懂成與敗，最後如果幸運獲得了零食和玩具，則充滿了意外的驚喜。

長大以後，全變了。

得第二名會痛哭流涕；爲了爭取好成績，會不吃不喝不睡覺；會嫉妒別人太好；會挑剔自己不夠好；比賽前忐忑不安，比賽後久久不釋懷，即使得到獎品，也嫌大嫌小，不是全然歡喜。

在人生接二連三的比賽裡，奮鬥掙扎，痛苦煎熬，然後又拿「平常心」的座右銘時時誦唸。

這一切，多麼扭曲、多麼不自然。

看到一個小男生規規矩矩地唱歌，每天晚上爲了比賽要練習幾遍，練完就忙著整理點數他的鬥片。

這才是平常心吧！

面對比賽，我試圖找回一個小學生的平常心。

她也無法全然放下自己的身段，
以致復出計畫總是雷聲大雨點小。

世事多起伏

昨天的成功不能保證什麼，明天又是另一番局面。

一位貌美的女明星，年輕時妖嬈多姿，著實風靡了許多人，紅透半邊天。然而隨著年事漸長，演出的機會減少，便漸漸淡出演藝圈。

其間她對舞台仍有眷戀，多次計畫復出，不過都因爲客觀環境已經改變，人們不可能再以從前那樣榮耀的身分對待她，而她也無法全然放下自己的身段，以致復出計畫總是雷聲大雨點小，遲遲未能定案，最後不免無疾而終。

另一位和她同時出道的女明星，在演藝事業上始終未能大紅大紫，但是多年來仍然持續不懈地在幕前幕後努力，如今人屆中年，依舊穿梭於多個節目之間，保持著活躍的地位。

如果只著眼於一時，任何人的成敗似乎馬上可以下個定論。誰紅誰不紅，誰行誰不行，一目了然。

可是如果把時間拉長一點，不止三五年，不止十年八年，從青年拉到中年，從少女拉到婦人，那麼情況就會複雜許多，不是三言兩語可以說得清。

有一對夫婦年輕時事業十分輝煌，如今兒子長大成人，也投身於同樣的事業，卻沒有什麼傲人的表現。

另一對夫婦雖然才華洋溢，卻屢遭頓挫，一直生活得十分艱苦，如今他們的兒子事業才剛起步，即被公認爲具有不可多得的才情，受到各方的爭相邀約。

如果把時間拉得更長，跨越一個世代，從父母拉到子女，那麼結局可能迥然不同。

對自己或者對別人，
都別急著下斷語。

人生的競賽，我們起初都以爲是短暫的。一時的得失榮辱，就能使我們開心得上天堂，悲傷得下地獄。

然而，隨著時間過去，我們會看見天堂上的人墜落凡間，同樣我們也會看見地獄裡的人一步躍上天堂。

人生從來不是短暫的，生命一直是一場漫長的競賽。第一段的輸贏，在瞬間變成歷史，然後我們會邁入第二段、第三段、一段又一段的新路程。

每一段都是全新的競賽，昨天的成功不能保證什麼，明天又是另一番局面。

對自己或者對別人，都別急著下斷語。

一路上，我們絕對有機會看盡世事起伏，而我們自己與別人都在其中。

在數字堆中打滾

每個人努力奮鬥的目標，不外乎是一個阿拉伯數字。

隨手打開收音機聽聽音樂，由於一向愛安靜，轉來轉去，轉到一個古典音樂的節目。

聽了一會兒樂曲的演奏，覺得心情很舒暢。演奏告一段落，換主持人出來講話，他說：「這是最受歡迎的作曲家裡面，排名第九名的作品，不過這首曲子並未被列入前一百名的暢銷名曲中。」

天啊！作曲家已經死去兩百年了，卻還要在暢銷排行榜裡和人爭高下。這應該是十八世紀的音樂家做夢也想不到的事吧！

各種大大小小的數字，
從一睜開眼睛
就壓迫著你的每一根神經。

發明暢銷排行榜的人，眞是天才。在我們的生活周圍，幾乎沒有排行榜不能擠入的空間。書籍、唱片、電影、電視節目，甚至各個企業都能排出五百大、一百大、十大，至於名目更是繁多，「最受歡迎」、「最暢銷」、「最熱門」、「最有影響力」。

如果連死去兩百年的作曲家都不能倖免於難，那麼我們活著的人又如何能夠喘口氣呢！

除了排行榜，當然還有其他類似的東西，每天威脅著人們，像收視率，一點六、三點○五；像業績，二億三千萬、五千六百萬；像成長率，三點七個百分點、二點八個百分點。

各種大大小小的數字，從最簡單的一二三，到最複雜的百分比；從最嚇人的億兆，到最不起眼的零點零一，從一睜開眼睛就壓迫著你的每一根神經。而每個人努力奮鬥的目標也愈來愈清楚，不外乎是一個阿拉伯數字。

阿拉伯數字，真有這麼大的魔力嗎？

還是我們自願放棄了主權，讓它當主人，自己反而成了它的奴隸，在幾個數字的來來回回奔波裡，虛耗掉一生的光陰。

什麼時候才有人明白，數字只是一個計算的單位，它沒有那麼大的權力，牽制人的喜怒哀樂。在數目字之外，我們需要用更多標準去衡量自己的努力、自己的滿足與欣慰。

兩百年前死去的音樂家，是不會在乎第九名還是第一百名，甚至在不在排名榜內。而不時在數字堆中打滾的活人，縱使不能一笑置之，至少偶爾也讓自己從數字堆中走出來，呼吸一點新鮮空氣吧！

永恆的奧斯卡獎座

這世界，本來不可能公平。

奧斯卡獎揭曉了！

本來不干我們的事，一個在美國發給美國電影界的獎，可是因爲有電影、有明星、有獎，就必然鬧得轟轟烈烈，輕輕鬆鬆躍上全世界的頭條新聞。

有獎，就會有爭論。

是藝術，就沒法放在顯微鏡下檢驗，見仁見智，公有公的理，婆有婆的理。

獎落誰家已然確定之後，我遇見一位愛看電影的年輕大學生，他氣憤塡膺，用幾近硬咽的聲音說：「太不公平了！大公司有錢，可以砸宣傳費，弄到好幾座獎，小公司辛辛苦苦拍好片，卻沒錢宣傳，得不到獎。這是什麼世界，我受不了。」

已經成熟、已經世故的我，遽然想起自己也曾經有過會爲遙遠不相干的事而動氣的一段歲月。

如今我看電影，看得獎的，也看不得獎的。如今我推薦朋友看電影，推薦得獎的，也推薦不得獎的。

得獎與不得獎，對一個眞正的影迷而言，其實沒有太大差別。

外行人會以爲,得獎的才是好片,不得獎的一定比較遜色。內行的、常看電影的人知道，電影只有兩種，兩種都跟奧斯卡無關，一種是好看的、會感動人的，看了以後就想拚命介紹給別人的，另一種是看過轉頭就忘記了的。

哽咽的大學生也許在同學間以愛看電影自豪，可是談到要

電影只有兩種，
一種是好看的、會感動人的，
另一種是看過轉頭就忘記了的。

做一個眞正的影迷，還有一段可觀的距離。

好片得到提名，沒有錢宣傳，無法得獎，又如何呢？有很多好片，根本都不會得到提名，又怎麼說？全世界電影，有多少滄海遺珠，在美國之外，在奧斯卡之外，有多少沒有錢宣傳，沒可能得獎，甚至沒可能被人看見的好電影呢？

獎，本來不可能公平。

競賽，本來不可能公平。

這世界，本來不可能公平。

這不是悲觀的論調，也不是憤世嫉俗的控訴。正相反，會這麼想，是出自於一種寬懷和了解，是認識到人力有限、智慧有窮，絕對的正確、絕對的完美，都不易企及。

在影迷心中，永恆的記憶，抵得上任何一個獎座吧！

7

換新跑道，重塑新的自己

在換跑道的這一刻，
要相信自己可以激發出前所未有的能力，
讓自己對自己刮目相看。

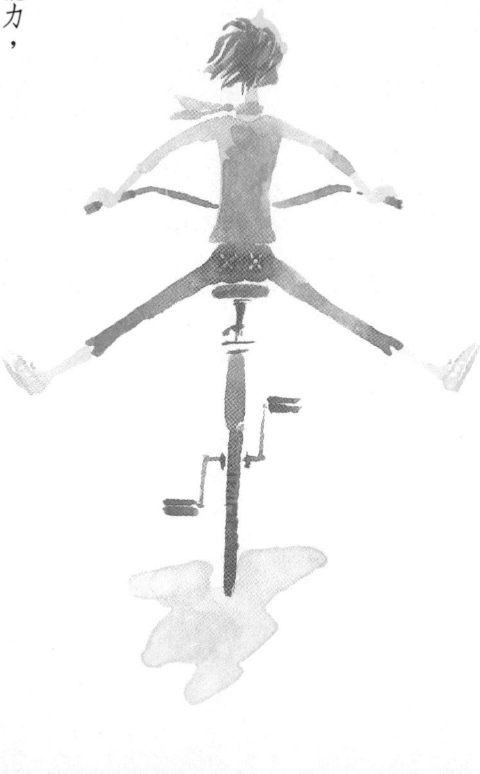

由「漸」到「變」

漸，是我們的習慣；變，卻是我們的現實。

豐子愷是民國初年一位很可愛的作家。說他是作家，他又很愛畫畫，他用《子愷漫畫》的名義發表作品，從此中文裡才有了「漫畫」這個新詞。

豐子愷最爲人熟知的一篇散文〈漸〉裡提到，人生的變化都是漸漸的，一分一分、一秒一秒地漸進，緩慢得讓人不感覺任何痕跡，而誤以爲一切都是恆久不變的。

豐子愷說：「使人生圓滑進行的微妙的要素，莫如『漸』；造物主騙人的手段，也莫如『漸』。」

換到今日的時空之下，緩慢的感覺可能已經被資訊時代的

今天我們所感覺到的，
不再是慢吞吞的「漸」，
反而是急匆匆的「變」。

高速所取代了。今天我們所感覺到的，恐怕不再是慢吞吞的「漸」，反而是急匆匆的「變」。

「漸」是屬於個人的，孩子漸漸長大，大人漸漸衰老，一天一天，一步一步，教人難以覺察。

「變」卻是屬於整個大環境的，它快速得令人張口咋舌，根本來不及反應。

就以我們大眾最熟悉的報紙事業來說，過去報禁時代，大報社只有兩三家，小報社更是屈指可數。所發行的報紙，每天三大張，換作現在，大概五分鐘就翻完了。

今天走過報攤，幾十種報紙並排陳列，教人眼花撩亂。每一份報都是厚厚一大疊，抱著報紙總擔心沒有時間把它看完。而分門別類的各種專業報、娛樂報，更是過往《中央日報》時代做夢也想像不出來的。

除了印刷好的報紙外，不印刷、直接上網也成了許多報紙找尋讀者的新方式。現在更有人創辦了網路報紙，完全不需要紙張，不需要派送，編輯、出版、閱讀，一起在網路上完成。

當然，挾一份早報去上班，帶一份晚報回家看，那種與天下大事共晨昏的滿足感，是永遠不會被取代的。

「漸」是我們的習慣，一點一滴的養成。早看報，晚看報，或許一輩子都不會改。

「變」卻是我們的現實，新工具、新方法、新產品源源不絕的出現。到網路上看報，到網路上看網路報，新鮮的事物衝擊著我們的日常生活。

追隨著習慣，可以讓我們心情穩定，感覺安全。可是現實環境的刺激，卻能夠激發我們的潛力，邁向更開闊的未來。

「漸」與「變」，考驗著每一個人。

繼續熬下去，絕非良策。
熬得愈久，失血愈多。

此路不通

賠錢，死心，反而可以創造出另一個活命的機會。

以前讀過一本《如何經營小商店》的書。

寫書的理財專家，給人的意見十分犀利，雖是一本平常的書，但事隔多年，記憶仍然清晰無比。

我還記得專家提醒小商店的經營者，最好是三個月之內就能賺錢，否則恐怕要考慮轉行。

如果三個月之內都沒有辦法賺錢，那麼繼續熬下去，絕非良策。熬得愈久，失血愈多。連轉行經營其他生意的本錢，都可能賠光。

專家說過一句很有趣的話：「賺錢的是好生意，賠錢的也是好生意，最怕的是不賺不賠。」

賺了錢，選對行業，任誰都知道是好生意。

賠了錢，怎麼也算好生意呢？

賠了錢，知道此路不通，一定會動腦筋，設法轉投入其他行業。能轉動，就會有生路。所以賠錢，死心，反而可以創造出另一個活命的機會。

最怕是不賺不賠，賺一點點，賠一點點，看起來有希望，可是希望永遠只是閃爍著黯淡的光芒。

不上不下，是謂「卡」。被卡住，進又不能進，退又捨不得退，一躊躇，一猶豫，一輩子可能就這樣過去。

經營小商店的道理，放在任何人身上，好像也適用。

我認識一個朋友，剛剛離開學校的時候，到公司去上班，由於個性散漫，經常遲到早退，老闆看上他的才華，極力容忍。

既然此路不通，
索性改道行駛。

沒想到他變本加厲，居然一不高興就根本不上班，連打個電話請假都省了。

這下老闆大爲光火，立刻下令把他開除。

就這樣，一個大有才氣的年輕人，上班不到半年，就很沒面子地離開了辦公室。

雖然在工作生涯中，遭遇到這麼重大的打擊，他倒沒有因此頹廢下去。我這位朋友，思前想後，了解自己的個性確實不適於固定上下班，既然此路不通，索性改道行駛。

日後他朝創作方向努力，不到公司上班，專心做一個自由工作者，在許多方面都十分活躍。

有時候，我想，這早年的打擊實在可以算是一種好運。及早明白此路不通，就可以及早找尋新的方向，全力投入更正確的選擇，反而不會浪費時光，也可以激發出更大的潛力。

看來此路不通，也是好事。

把才華放在哪裡？

任何一個人的才華，都是有限的。

我曾經應邀去上一個電視節目。未去之前，也不大了解狀況，到了現場才發現，來賓衆多，一共有四位男女，加上一位主持人，就是五個人。大家團團坐在一起，共同討論一個話題。

主持人是新手，不太懂得如何制止來賓的發言。有一位來賓是大學教授，他把攝影棚當成課堂，每次一開口發言，就非講上半個鐘頭不停止。我們其他人好像是學生，只得乖乖坐在那裡聽訓。

這一段訪談最後進行了大約兩個鐘頭才結束，大家都神情狼狽，只有那位教授精神抖擻，似乎還可以再撐上兩小時不成

大學教授每次一開口發言，
就非講上半個鐘頭不停止。

問題。

錄完節目出來，我問身旁的製作人：「這段訪問大概會播多少時間？」

我滿心以為，既然錄了兩個鐘頭，總會播上一個鐘頭左右吧！誰想到製作人的回答是：「十五分鐘。」

天啊！

只有十五分鐘的訪談，居然邀請了四位來賓，而且其中一位還是每次發言都持續三十分鐘的教授。

這真是一次慘痛的教訓，但是我也因而學會，以後接受電視節目的邀約，一定會問清楚，訪問時間有多長，來賓一共幾個人。遇上來賓很多、時間很短的節目，對不起，敬謝不敏，我已經受過教訓了。

自然你也知道，我對於那位節目主持人，是抱有什麼樣的評價。

沒過多久，這位主持人果然不再在螢光幕上主持節目，他投身政治，成了一顆活躍的政治明星。

這時，他會不會主持節目，已經變得不重要了。

我們都看過一些優秀的演員，傑出的主持人，投入政治圈後，卻未必能夠像他們在螢光幕前那樣發光發亮，甚至有人一再顚仆，最後終於黯然退出政壇。

然而，我也看見，一個並不十分稱職的主持人，卻搖身一變，成爲有影響力的政治人物。

每一個人都有才華，但是任何一個人的才華，卻也都是有限的。

做主持人也好，做政治人物也好，怎麼樣愼重選擇正確的行業，把自己的才華放在最適當的地方，聰明的腦筋需要好好想一想。

不管是換單位，
換老闆，換行業，
都是一個重大的改變。

對自己刮目相看

換新跑道，能讓人重塑一個新的自己。

歲末之際，接到一家雜誌社的邀約，希望去和他們的讀者談一談換工作的心情。雜誌社的朋友說：「每天都有幾個讀者上門，指名要買全年份過期的雜誌。仔細盤問之下，發現這些讀者都是準備離開現有的工作，另外尋求發展。」

每到年底，公司也好，個人也好，都會對過去加以檢討，重新規劃下一階段該走的路。

對個人而言，不管是換單位，換老闆，換行業，都是一個重大的改變。

而轉換跑道之後再出發，更是讓人一洗多年來的慣性，必須繃緊神經，集中心神，奮力奔馳。

換跑道，是大事。但是換跑道，也應該被當成是一件極其正常的事。

種植果樹的農夫都知道，一塊地如果持續栽種同一種水果，那麼三五年內，水果的產量會愈來愈少，品質也逐漸下降。不論怎麼施肥，情況都不會大加改善。

這時候唯一的方法，是採用輪種。每隔幾年，就讓土地休息，或者種植其他不同的果樹，這樣反而會收到比較好的效果。

在工作崗位上的人，也和果樹差不多，剛開始，精神抖擻，奮發有爲，每一天都勤勤懇懇地埋頭苦幹，可是三五年過去，單調厭煩的情緒慢慢發酵，放鬆懈怠也影響到職務上的表現，就和水果一樣，質量都逐步下滑。

這時候，如果有機會換一個新單位，換一個新老闆，甚至

在換跑道的這一刻，
讓自己對自己刮目相看。

換一個新行業，可能有強心針似的效果。

換新跑道，也能讓人從內到外除舊佈新，以興奮的心情，去迎接新的環境，重塑一個新的自己。

緊張，是難免的。惶恐，是必然的。可是如果能了解，連在土地上栽種水果，都需要變化，人去面對環境的變化，其實是可以更坦然，更順其自然，而無須過慮。

人，本來就是活動的，會變化的。我們對生活中的變化，是有適應能力，可以從容應付的。而我們內在的潛力，可能遠遠超乎自己的想像。

在換跑道的這一刻，要相信自己可以激發出前所未有的能力，讓自己對自己刮目相看。

婚變，欲罷不能

人生的變化，每一天都在發生，誰也沒有豁免的權利。

女明星又鬧婚變了。

雖然說明星的婚變、情變，根本是家常便飯，可是同樣的主題一演再演，依舊會吸引到滿堂的觀眾。

新聞登了又登，讀者看了又看，沒有人嫌老調重彈，大家在咖啡廳裡、辦公桌上聊了又聊，依舊是興致勃勃，欲罷不能。

清清如水、一成不變的，是平凡人的日子。做明星就得與眾不同，頭髮、衣服、鞋子，一季季都教人眼花撩亂，出唱片、拍電影、做節目，動作多得讓人目不暇給，闖事業的空檔，還要談戀愛、分手、另結新歡，甚至訂婚、結婚再離婚。

有時戲外戲，
比戲內戲還更叫座呢！

沒有三兩三，哪敢上梁山。

沒有三十三個炒作題目，哪能稱得上是大明星。

看多了明星們的分分合合，說實話，到後來也分不清眞眞假假、是是非非。不過，無論事情眞相如何，教人佩服的是，他們似乎總能迅速痊癒，很快又投入另一個人的懷抱，很快又找到幸福美滿的新對象。

彷彿是一齣戲，上一場還呼天搶地，要和負心人拚命，下一場就巧遇新的愛人，馬上緣訂三生，共結白首之盟。戲，可以輕易轉折。演戲的人，也必須立刻調整。

明星，在戲裡未必擁有令人心服的演技，但是在戲外，卻爐火純青，教人看不出是做戲。

觀衆在戲裡戲外都喜歡看明星，不是沒有道理的。有時戲外戲，比戲內戲還更叫座呢！

台下的觀衆大半沒有受過嚴格的訓練，經驗也欠豐富，一個簡單的分分合合，往往演來是既拙劣又冗長，讓旁觀的人看得好不耐煩。

情變、婚變，人生的變化，每一天都在發生。發生在明星身上多些，發生在觀衆身上少些，但是誰也沒有豁免的權利。

戲劇是集變化之大成，生活又何嘗不如此？

大變故難演，在戲裡戲外都是一樣。面對椎心刺骨的事件，我們看明星怎麼演，明星則看自己怎麼演。萬一事情降臨到一個平凡人身上，旁人等著看你怎麼演，你則最好向明星學習，演得揮灑自如一些，別讓人看得想轉台。

人家都說，
這世界已經變成了一個地球村。

凱西去移民

不僅是換一份職業，換一份感情，甚至必須要換一塊土地。

人家都說，這世界已經變成了一個地球村。身爲地球村的居民，只擁有一本中華民國護照，似乎顯得有點寒酸。於是乎，每隔幾年，總會因爲什麼特殊事故，突然掀起一陣移民熱。

我認識的人當中，有不少都已經飽嘗兩地奔波之苦，終於拿到了第二本護照，從此變成兩個國家的公民，宣誓効忠兩個國家的政府。

雙重身分會不會讓一個人左右爲難，鬧得精神分裂？大半不會。

擁有雙重身分的人，絕大多數還是在台灣工作，在台灣賺錢，認同這個唯一的祖國。只有少數人是眞的移民外國，要在人生地不熟的地方闖天下。

我的朋友凱西就是少數人裡的一個例子。凱西受過美國教育，做過外商公司，平日只讀英文書，只寫英文信，這樣牛油味十足的傢伙，要移民到北美的加拿大去，照理講來，應該猶如高手溜冰，一路順暢才是。

凱西去了加拿大半年，沒找到事，從夏天熬到冬天，從涼爽怡人、繁花似錦的七八月，待到天寒地凍、草木不生的一二月。

熬不過零下幾十度的考驗，凱西飛回台灣避難，燙頭髮、修指甲、吃路邊攤、找朋友抬槓，大大享受她的台灣假期，而她的心得報告只有一句：「移民，不是人過的日子。」

度完假，凱西仍然得束裝返國，畢竟爲了辦一個新的身分，路也終究會被有心人走出來。

加拿大現在是她必須回去的祖國。

沒有工作的凱西，處處受挫，連辦一張小小的百貨公司折扣卡，都被打回票，百貨公司無視於她的巨額消費，仍然堅持需要有服務公司的證明，需要有納稅的紀錄。

凱西去了加拿大一年半，所有帶去的現金都花光了，在彈盡糧絕的那一刻，她終於找到了一份工作，據她說，薪水少得可憐，幾乎只是象徵性的，不過從此總算有了一個據點，可以活得像一個正常的公民了。

移民，是我們這個世代許多人生活中的新經驗。不僅是換一份職業、換一份感情，甚至必須要換一塊土地。總有不適應，總有酸甜苦辣，但是如果決定要作轉變，決定要留下去，路也終究會被有心人走出來。

8

學習，是在血液裡，在細胞裡

表面的學習是不夠的，
我們必須把自己浸泡在一個環境裡，
才能真正的、深刻的從內在產生改變。

藝術潛入靈魂底層

在巴黎，任何人都會變得更藝術，變得更美。

我曾在巴黎小住過一個月，因為市區及郊區的名勝古蹟，以前來觀光時，差不多都看遍了，所以一旦住下來，反而不像觀光客一樣，急著到處遊玩。

一個月的時間，有公寓住，有廚房可以自己煮飯，每天無所事事，到處去逛美術館。

巴黎的美術館眞多，如果再加上三五步就有一家的畫廊，巴黎人可以說是把藝術當成便利商店，隨時隨地都可以進入體會一下美的滋味。

而藝術還不止是美術館、畫廊的專利，城市裡不論是大公

在巴黎，
藝術不是生活，
藝術是生命……

園、小公園，甚至街邊轉角的一塊空地，都會適時放置一些雕塑作品。

不用刻意走入任何展覽場所，只要每天上下班、穿越公園、到街角買麵包、在路上逛街購物，隨便一抬頭，藝術品就在你面前。

在巴黎，不需要像朝聖者一樣，去堂皇的聖殿裡膜拜藝術。在巴黎，藝術包圍著每個人，你吃、喝、呼吸、談話、走路，都無法擺脫藝術的身影，而不管你看不看、轉頭不轉頭、側身不側身，它總在那裡，等著滲入你的毛孔，潛游入你的血液。

在巴黎，藝術不是生活，藝術是生命，是在血液裡，在細胞裡，在比潛意識更深的靈魂底層。

巴黎的女人穿最普通的衣服，照樣顯出高貴優雅。巴黎的家庭主婦一襲T恤、一雙布鞋，絕對和諧對稱，從容不迫。

在巴黎，任何人都會變得更藝術，變得更美。

我在巴黎小住一月，只學習到一件事，那就是：表面的學習是不夠的，我們必須把自己浸泡在一個環境裡，才能眞正的、深刻的從內在產生改變。

對於藝術，學習是不夠的，怎麼樣讓它時時刻刻、分分秒秒都圍繞著我們，才是最好的學習方法。

豈只是藝術如此，想要學習任何事物，最好的途徑都一定是生活在那個環境裡。學語文、學音樂是如此，學做生意、學跑業務，又何嘗不然。

一個充滿藝術的環境，一個良好的學習環境，可以徹頭徹尾改造我們。

我沒來由地特別喜歡看
電視上的烹飪節目。

不知不覺中學本事

很多人以為，必須進學校，正正式式的才叫做學習。

孔夫子說：「食色，性也。」

好吃本來是人的天性。看到美食當前，能不動心者，眞可說是絕無僅有。

我自己不會做菜，也不算是老饕級的食客，可是卻沒來由地特別喜歡看電視上的烹飪節目。不論做中國菜、外國菜、點心、小吃，只要畫面上有食物，有人在一旁切切弄弄，我就會盯著不放。

有時想想，並不是自己眞的好吃，也許只是從小習慣了看媽媽在廚房做事，洗洗剁剁炒炒，放學回家也幫不上什麼忙的我，就堵在廚房門口，嘮嘮叨叨訴說學校裡發生的事情。

媽媽進進出出忙碌著，我的嘴皮子也不得閒，一面說話，一面偷吃剛做好的菜餚，不時還會捱一兩聲罵：「不要用手抓，髒死了！別人還要不要吃啊！」

時光好像從來沒有移動分毫，現在回家，媽媽仍然忙進忙出，我也仍然總是堵在廚房門口那個老位置上，絮絮叨叨地說著一些生活瑣事。仍然不改舊日惡習，伸手就抓些熱騰騰的好菜來吃，也仍然不時要捱幾句罵。

我自己平日生活簡單，沒有太多表現廚藝的機會。只有兩年，因爲出國唸書，又和其他同學合住公寓，在台灣從沒下過廚的我，也被迫學做一日三餐。

天天練習，一段時間後，居然功力大進，可以擺上一桌酒席，請外國同學一起來品嘗。

我們是在一天天的日子裡，
不知不覺學會的。

記得剛開始下廚時，我向同住的其他同學表明，自己一輩子沒做過菜，煮出的食物滋味如何，恕不負責。當然，飯菜僅是勉強可以入口，大家的評語是「做飯架式十足，看來有如老手。」

辛辛苦苦在外國生活，一日三餐就可以整倒人。靠著數十年來跟在媽媽身邊潛移默化，下廚至少不緊張，拿起菜刀鍋鏟也有模有樣，矇混一下外行人，總算過了一關。

很多人以爲，要學習一件事物，必須進學校、入訓練班，正正式式的才叫做學習。其實仔細想想，生活中大部分的事情，我們是在一天天的日子裡，不知不覺學會的。

家庭、辦公室、我們出出入入的許多地方，都在無形中教給我們許多本事，平日我們可能絲毫沒有留心，一旦情況需要，這些本事自然而然能派上用場。

老狗也學新把戲

學不好、學不精，都不要緊；能學、肯學，才重要。

俗話說：「老狗學不會新把戲。」

然而，身處在現代社會裡，迫於情勢，有許許多多老狗，不管學不學得會，恐怕都不免要練一些新把戲。

大官為了與民同樂，得學會唱流行歌曲；專業經理為了趕上潮流，得練習上網；老人家為了兒孫同步娛樂，只得開機關機勤用電腦。

一隻隻老狗，一遍遍辛勤苦練，學的都是新把戲。誰說老狗們學不會？學不好，是真的；學不會，倒未必。

數數自己寫作的歷史，一晃眼已經十年。在寫文章這件事學不好，是眞的；
學不會，倒未必。

上，好壞難有定論，只是馬齒徒增，隨著天增歲月人增壽，儼然已經成爲一隻頗有歲數的老狗。

照理來講，任何一隻老狗總有幾招老招式，只要不拆穿底牌，唬唬不知情的外行人，應該還是綽綽有餘。

既然是寫作，循著舊路線，安安穩穩走走，風險也很有限。

沒想到寫作出版這樣單純的行業，也不時有些新把戲出現。這幾年，平面的出版還嫌不足，許多出版公司把觸角伸展到有聲的領域，紛紛製作起有聲書來。

我也應出版公司的要求，準備跨足有聲書。

這跨足之舉，雖不能如太空人阿姆斯壯所言：「這是我的一小步，卻是人類的一大步。」不過，這人類的一小步，確實是老狗的一大步。

第一次知道，聲音可以有那麼多種表情。第一次知道，呼吸要從丹田發出。第一次知道，注音符號的四聲是如此講究。

科學研究說，每一個人每天平均要講一萬個字。

一天一萬字，我已經講了幾十年，如今卻要從頭開始學講話。好玩吧！

為了做有聲書，我接受了一段短期訓練，學到一點皮毛。專家說，聲音的學問大得很，你根本連門邊都還沒碰到。可是我已經心滿意足，學一點用一點，總比全然無知要好。

老狗的長處也在這裡，不會被專家嚇住，容易對自己滿意。

偶爾也該學點新把戲，學不好、學不精，都不要緊，能學、肯學，才重要。就當做是活動筋骨吧！老狗們意下如何？

都市生活眞是異常冷漠。

交個新朋友

我們在不知不覺中，慢慢變成一個自己也不喜歡的自己。

都市生活眞是異常冷漠，同住在一棟大樓裡，住上十年可能互不相識，即使同一層樓裡的鄰居，一年也講不上三句話。這種情況，在公寓大樓裡，叫做正常。

有一次看到一班從花蓮山地小學來的小學生，談到他們的台北印象，他們說：「沒有想到台北人都住在監牢裡。」

相對於花蓮山地的好山好水，孩子們可以滿山遍野到處亂跑，把他們放在車水馬龍、動彈不得的都市裡，難怪他們要同情台北人都住進監牢。

我在台北的一棟大樓裡，住了十幾年。另一個人也在同一棟大樓，住了十幾年。

我們可能甚至偶爾共乘一部電梯，可是幾千個日子以來，我們絕對是面對面，互不相識。

有一天在一個聚會裡，我們互相認識，仔細端詳過彼此的臉孔，甚至交換了名片和電話。我們以爲只是普通的會面，點頭之交，下次相逢不知何年何月。

第二天，我們在住家電梯口相逢，不能相信，彼此是十幾年的鄰居，在同一部電梯裡，上上下下過幾萬次。

然後，我們從她的女兒、我的工作開始聊起，希望把老鄰居變成新朋友。

冷漠的都市可以不那麼像監牢——如果我們還有能力結交新朋友。

人的本性到底是好逸惡勞，還是奮鬥向上，實在是一個值得

新朋友，幫助我們做新人。

爭論的問題。不過，懶惰的因子潛藏在我們的日常行爲裡，卻也是淸楚的事實。

單單以交朋友來說，唸書時就是那幾個死黨，做事以後，兩三個要好的同事同進同出，一晃眼，好多年過去，老朋友是存了幾個，新朋友卻一片空白。

只懂得自己的行業，只和個性相同的人來往，久而久之，變成一個有點沉悶，有點無聊的人，然後還振振有辭排斥所有非我族類。

我們不見得喜歡這樣的自己，可是卻又在不知不覺中，慢慢變成一個自己也不喜歡的自己。

改變自己，也用不著做什麼心理分析。走出去，多認識新朋友，讓新鮮的經驗注入我們陳腐的生活，讓活潑的人物打開我們封閉的心靈。

新朋友，幫助我們做新人。

轉彎，沒有埋怨

有刺激，有回應，才會有成長。

我的寫作生涯已持續了十年，早先提起筆來總嫌生澀，每回寫文章總像是辦一件大事般小心謹慎，只差沒有焚香沐浴而已。

隨著時間過去，一枝筆不再有千斤重，寫作時心情輕快許多，自己也覺得武藝精進，要起筆桿來似乎愈見熟練，可以享受到自在揮灑的樂趣。

回想當初，因為上班生活屢遭挫折，轉而開展寫作事業。自己並沒有受過任何正式的文字訓練，一輩子也從未夢想過要靠爬格子來謀生，卻迷迷糊糊走上這條道路。

人生的路途從來不是一條直線。

暫時把以往的管理背景擱在一邊，我必須重新學習如何寫作、如何出書、如何觀察和了解出版市場。學習，總不免有困難、辛苦和對命運不公的抱怨，誰不希望能在自己熟悉的領域盡情發揮呢？轉換行業，從某個角度來看，簡直就像被迫離開親愛的家園、背井離鄉，遠赴陌生的異國去尋求發展。

然而，人生的路途從來不是一條直線。

唯有蜿蜒曲折、起伏高低的道路，才能通向最美麗的風景。曲曲折折是人生路，曲曲折折也是學習路。

生命中的每一處轉彎，都是驚愕，或許是人類與生俱來的惰性使然，我們都期盼平坦順暢的道路，能夠無止盡延伸下去，也因此轉折總是令人不快。

我在離開學校，受完高等教育之後，滿心以爲從此憑一身的本事闖蕩江湖，應該是綽綽有餘。

誰料到進入社會才不過幾年的時光，就得另闢蹊徑，跨入截然不同的領域，一切從頭學起。

十年來，在寫作這個行業中，逐漸克服了心理上的恐懼，許多困難也在歲月中慢慢消磨殆盡。

有趣的是，正因爲有困難，才有挑戰，人也會因爲生活在挑戰中，備感興奮，願意全力搏鬥。

我一直懷著高亢的學習精神，不停地摸索，在種種的書籍當中，欣賞、觀摩、吸收別人的長處。經由努力，原先的困難消失了，然而在困難消失的同時，挑戰和興奮也一起消失了。代之而起的，是因爲熟悉而產生的倦怠與冷漠。

人類文明的躍昇，是源自於刺激與回應，有外來的刺激，人們努力去回應這個刺激，這才產生文明，產生進步。

個人也是一樣吧！

這一次的轉彎，
沒有埋怨、
沒有不甘心。

有刺激，有回應，才會有成長。

停止學習，無異於停止成長，整個人都會因爲不再解決困難、應付挑戰而逐漸萎縮衰退。

我對寫作的熱情，也隨著愈寫愈熟練，卻愈寫愈不起勁。

這時我恍然明白，昔日被視爲艱鉅的任務，如今已經勝任愉快，而眼前該做的事，倒是要出發去尋找另一個陌生的領域，扛起新的重擔、重新學習、重新出發。

十年前，是出於無奈，被迫投身全新的行業，離開管理的本行，從事寫作生涯。

十年後，我卻是出於自願，歡歡喜喜地準備再度展開學習之旅。

這一次的轉彎，沒有埋怨、沒有不甘心。

平直的道路走久了，注意力會渙散，不小心還會打起瞌睡來，所以轉彎是必要的，曲折是不可少的，設計道路的專家都明白這個道理。

自己的人生道路，自己來設計，自己就是專家。直線與曲線互相錯置，轉彎與平路交叉搭配，這樣複雜卻有變化的設計，可能才是最理想的道路狀況。

我現在懂得不再期望平平坦坦的順境，也不再怨怪一處處必然的轉折。道路已經不再重要，重要的是在任何狀況下，我都能夠歡歡喜喜前進。

這些年來，
「哈日」已經成爲全民運動。

哈日族學日語

語言本來出自於生活，而非課本。

這些年來，「哈日」已經成爲全民運動。從凱蒂貓到皮卡丘，從安室奈美惠到柏原崇，從偶像劇到日片，舉凡你能接觸得到的東西、商品、CD、電視、電影，甚至寫眞集，日本勢力都無孔不入。

「哈日族」也成了新新人類的頂尖時髦人物，從頭到腳都是日本最前衛的打扮不說，而且眼觀日劇，耳聽日本流行金曲，嘴裡吃著壽司，不時還飛往東京去取幾本大藏經來唸唸。

儘管大多數哈日族的日語不過是霧煞煞，莎喲哪啦、阿里阿多如此而已，可是置身於哈日的年代，如果能說一口流利的日語，倒眞是教人羨慕加佩服不已。

提到日語，就勾起我的新愁舊恨。

在學校時就修過日文課，畢業後自己到補習班又進修了一段時間。課本讀了好幾本，照理講也應該有點基礎，可惜平日的工作上完全用不著，生活裡也沒有和日本人打交道的機會，學過的語言隔一陣子沒有派上用場，就逐漸荒廢了。

每隔三、五年，就從あいうえお基本的字母重新學一遍，三番兩次學日文，也三番兩次白繳了學費。終於在三度學習之後，下定決心把它完全扔在腦後，從此不碰日語課本。

因緣際會，前些時候到日本京都、奈良去小住了幾個禮拜，不料原以爲早已忘光的日語，竟然奇蹟似復活。

出門在外，吃飯、問路、住旅館，總不免要開口求人，日本人的英語也不靈光，我只好靠著記憶中殘存的少數單字，拼

能在生活中演練，
才能學得眞實而且深刻。

拼湊湊對付著用。沒想到記憶是愈用愈利，情急之下，八百年前學過的字彙居然自己脫口而出，而站在路邊找人搭訕，慢慢聽，也能了解不少對方的話語。

日本行並沒有拾回我重學日語的決心，多次磨難，我早已放棄這個念頭。倒是常遇見正在學日語的朋友，我總是不吝給他們打氣：「一定要好好學下去。」

另外還奉送一個自己親身體驗過的忠告：「有機會去日本玩一玩，練習和日本人說話，效果比學三年日文還大。」

語言本來出自於生活，而非課本。能在生活中演練，才能學得眞實而且深刻，我從自己的痛苦遭遇中，領悟到一個很簡單卻不容懷疑的道理。

9

路，在陽光燦爛的地方等著你

有人在面臨逆境之時，會走上絕路，
也是太執著於陰影的恐怖。
略微調整一下姿勢，修正一下角度，
把眼光從陰影中移開一寸，你會赫然發現，
還有一個屬於陽光的世界。

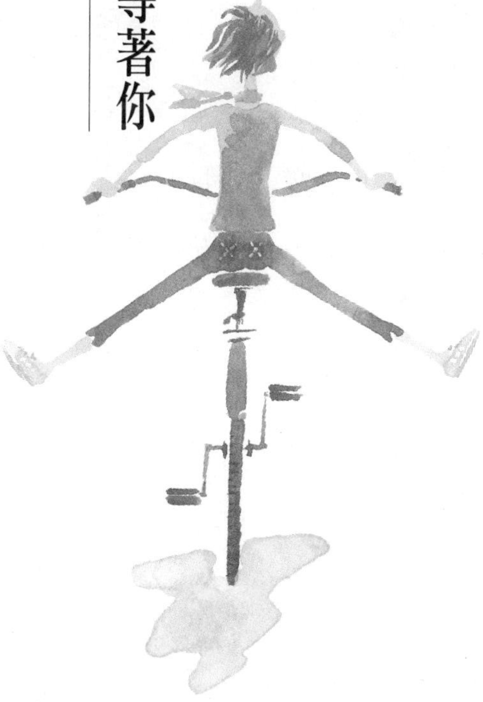

相信有路，就一定有路

人活著，生存是一種本能。

一個朋友做了幾年生意，一向都很樂觀。最近突然變得愁眉苦臉。

我猜想生意上可能出了點狀況，也不好直接詢問，便旁敲側擊地找他吃飯聊天。

酒足飯飽之後，他的心情放鬆，也比較願意說說心裡的苦衷。

他跟我說：「做了幾年生意，雖然很辛苦，可是總盼望著苦盡甘來。心想開始時是打基礎，能穩定就好，經過一段時間自然會逐漸成長，向上攀升。」

朋友的生意口碑很好，
不過業務上沒有什麼起色。

「沒想到，」他喝了口茶，緩和一下情緒，繼續說：「最近的情況不僅沒有成長，反而還在衰退。我有點著急，這樣下去怎麼是好，會不會就這樣完蛋了。我還要拚命做下去嗎？或者乾脆收起來算了！」

作事業眞是惱人。一旦陷入困境，只有自己發愁，別人似乎幫不上什麼大忙。

朋友的生意口碑很好，不過業務上沒有什麼起色。驟然說結束，聽了有點可惜。

我勸他多找些人聊聊，參考參考別人的意見，腦力激盪一番，說不定可以擦出火花來。

然後，我又想到，其實找尋作生意的方法還是其次，最重要的應該是，先把握住生存的意志。

我跟他說：「你別心急，多少人的能力、才華都不如你，還不是一樣做得很好。你先想想，要有意志，如果你相信有路可走，就一定有路。」

在諸事不順的情況下，我們很容易灰心喪志，以爲走到絕路上了。可是也許只要轉一個小彎，繞一個小道，開闊的風景便立刻讓人驚歎不已。

俗語說：「天無絕人之路。」

人活著，生存是一種本能。宇宙間所有的力量，都在儘量幫助我們生存、茁壯、成長。

當然，我們自己更是不管有意識或者無意識，總在掙扎奮鬥求生存，求發展。

外在的環境時時刻刻在變化，我們不可能完全掌握。可是我們的內心，總要堅持住自己的信念。

作生意也好，做一個人也好，困頓無助的時候，先別著急，

坐下來，定定心，
想一想：
「有路，一定有路。」

坐下來，定定心，想一想：「有路，一定有路。」
一定有路，在陽光燦爛的地方等著我們。

潑冷水的朋友

一天一大桶冰水澆下來，久而久之，所有燃燒的熱情都被澆熄了。

交朋友是大事。

一個殺人犯的媽媽，在聽到兒子犯罪之後，哭著對新聞記者說：「他是一個好孩子，只不過交了一些壞朋友。」

壞朋友就可以毀了一個好孩子的一生，他的威力比任何一種犯罪工具都更要強大。

如果我們可以把每一個罪犯的壞朋友，都關進監牢，那麼這個世界也許會變得清靜許多。

即使在古老的時候，孔子教學生也不免要提醒他們注意，交朋友是大事。

有三種益友，三種損友。

孔子說的益友，是友直、友諒、友多聞，朋友眞誠直率，寬大體諒，而且博學多聞。

至於損友，則是友便辟、友善柔、友便佞，朋友會說好聽的話，會巴結拍馬，會討好人。

孔子用來鑑別朋友的標準，在今天看起來，還是挺正確的。不過，嚴格說起來，會誘使我們作奸犯科、沉淪墮落的壞朋友畢竟是極少數，而且他們的行爲如果嚴重違法，我們也容易心生警惕，懂得儘量躲避。

倒是有一種朋友，並沒做什麼壞事，也不會說甜言蜜語討好人，可是卻經常在有意無意中打擊我們的志氣，讓我們變得和他一樣消沉、悲觀、絕望。這種喜歡給人潑冷水的朋友，雖然不是壞人，可是能夠敬而遠之，才是我們的福氣。

喜歡潑冷水的人，有一些口頭禪，他們總愛說：「不可能」、「別夢想」、「死心吧」、「你也配嗎」。

如果我說：「我好想交一個帥哥男朋友。」他就會說：「也不看看你自己長得什麼樣子，又矮又胖，憑你也配嗎！」

如果我說：「我打算換一個比較有發展的工作。」他就會說：「現在工作難找，好多人失業，你就死心吧！」

如果我說：「等我多存點錢，就可以到國外去深造。」他就會說：「別夢想了，那要有多少錢才夠啊！」

如果我說：「以後我要做個大人物，到全世界去旅行。」他想都不想就說：「不可能啦！你條件那麼差，比你優秀的人太多了，什麼時候才輪到你喔！」

我們本來有很多雄心壯志，可是潑冷水的朋友在身邊，一天一大桶冰水澆下來，久而久之，所有燃燒的熱情都被澆熄了。

193 潑冷水的人
絕對是孔子所謂的「損友」。

潑冷水的人，未必是壞朋友，可是他絕對是孔子所謂的「損友」。

第二十一個人

全人類最好的一顆腦袋，哪裡都不長，就正好長在自己的脖子上。

以前讀過一本書，叫做《二十一理論》（The Theory of 21），書名很嚴肅，其實內容滿有趣的。

先說這個二十一是什麼意思呢？

我們每個人都常常會有一些偉大的想法。這些想法如果一一實現，那麼世界一定會變得更美好、更進步。

關著房門，我們對自己的想法簡直感動莫名，認定全人類最好的一顆腦袋，哪裡都不長，就正好長在自己的脖子上。「聰明」、「天才」、「偉大」、「奇蹟」，即使是最強烈的形容

你遇見的第一個人一定會說 NO，
也許第二十個人還是跟你說 NO。
可是第二十一個人終會出現。

詞，也不足以說明自己的特別。

好了，打開房門，去告訴我們碰到的第一個人，他一定會震驚、落淚、仰望、膜拜，好一個不世出的奇才！

不對，他皺起眉頭，露出狐疑的神情，斜眼看人，用死板板的聲音說：「這是什麼東西呀，行不通的啦！」

完了！房門外是另一個世界，另一個宇宙，在這裡，天才好像被當成白癡。

我們每一個人都可能遇到過同樣的困境。

所謂的二十一，就是說，不管你擁有一個多麼完美的想法，你遇見的第一個人一定會說NO，第二個人也是NO。如果你不甘心，去找五個六個、七個八個，得到的答案仍然會是NO。

這樣說，你就該放棄了吧！

別急，繼續下去，也許第二十個人還是抱歉地跟你說NO。

可是第二十一個人終會出現，他就是你就要找的人，他就是那個會說ＹＥＳ的人。

尋找的過程很辛苦，你必須要把前面二十個人一一刪除，然後第二十一個人才會翩然出現在你面前。

這個理論並不是很難懂，對嗎？

不過，要去實踐它卻有一點困難。問過兩個人，不算。談過八個機會，不夠。拜訪了十六個對象，不成。就這樣放棄，太可惜。

你還沒有找到第二十一個人。

你有多少遠大的理想、燦爛的美夢都沒有實現，只因爲你還沒有找到那個人——那第二十一個人。

他在那裡，他一直在那裡——在二十個人的後面。

只要走下去，你就會找到他——一個帶著ＹＥＳ微笑的人，正準備點亮你生命中所有的火花。

有位畫家卻一心一意
要競選民意代表。

想做就去做吧！

毀滅之後，必定重建。

藝術家和政治，好像八竿子打不到一起才對。可是一旦邁入民主政治的時代，人人皆可投身選舉，只要能贏得選票，不論你是什麼身分、什麼背景，一樣可以實現政治理想。

藝術家對政治有熱情，當然也是好事，不過畢竟跨行跨得太遠，多少教人捏一把冷汗。

我的朋友認識一位畫家，繪畫功力已經十分深厚，照理講來，正應該在繪事上百尺竿頭，追求更好的成績。沒想到畫家本人卻一心一意要競選民意代表。親朋好友多方勸阻，仍然未能打消畫家的念頭。

我的朋友倒是持正面看法，她跟畫家說：「你想改革社會，爲大衆服務，表示你還有一顆年輕的心，有理想，有熱情。這一點我自嘆弗如。」只要有幾個這種傻朋友，肯大力支持，候選人就有勇氣去打一場艱苦的選戰。

選戰落幕了，畫家一如意料之中，並沒有當選。不過是打了一場無謂的仗——許多冷眼旁觀的人心裡這麼想。

畫家死了心，重新回到畫布前，開始作畫。他畫出和以前大不相同的東西，新的畫有一種平和寧靜，不像以往那麼喧囂，那麼飛揚跋扈。

畫家本人也和以前大不相同，新的畫家顯得深沉安詳，彷彿生命中有一部分被抽空了，取而代之的是更豐厚、更稠密的素質。

在意念升起的時候，
我們盡力去實現它。

毀滅之後，必定重建。

在摧毀與重塑的反覆過程中，我們一再被轉化，去除蕪雜，我們自會變得更純粹。

我的朋友根據自己的生命經驗知道，畫家需要經歷這一切。在旁人的反對聲中，她始終支持一個藝術家略嫌無稽的念頭。

想做就去做吧！

在意念升起的時候，我們盡力去實現它。只要不是害人害己的事，誰也無從判斷一個念頭的對錯。大多數時候，行爲的正確與否、成敗機率，其實都不重要。

只有在意念付諸實現，心願得到滿足之後，我們才能把它徹底清除掉，然後大步邁向下一段更清澈的路程。

煎一個漂亮的荷包蛋

光明和黑暗從來都不是絕對的，問題只在於你所站的角度。

西方人說一個人很樂觀，會形容這個人像個不翻面的荷包蛋，「太陽面朝上」(sunny side up)。

煎荷包蛋的時候，如果不翻面，把蛋打在鍋裡，蛋白一定會流到鍋底，蛋黃則露在上面。技術好的人，把四散的蛋白撥一撥，就煎出一個圓圓滿滿的荷包蛋。

這蛋的樣子，不是正像個大太陽，有黃黃的肚子和周圍潔白的光芒。

樂觀者給人太陽的感覺，大概也不是沒有道理。太陽總是

這個人像個不翻面的荷包蛋，
「太陽面朝上」。

發散著溫暖的光芒，永遠照耀著人間，不論貧富貴賤，它的愛沒有差別。

關於太陽，我曾經在一處辦公室裡，看見一句令人印象深刻的話。這句話貼在一位高級主管的辦公桌背後，想像中，他每次回頭都會讀上一遍：

「面對陽光，陰影就在你後面。」

很平常的道理，是不是？

面向陽光，我們永遠看不見自己的影子。影子到哪裡去了呢？影子不會不存在，只是它會被扔在身後，你根本看不見它。

要怎麼選擇呢？

面向陽光，就看不見陰影；面向陰影，就看不見陽光。只不過是一個轉身，世界就有黑與白、光與暗截然的劃分。

一個轉身，一念之差，苦與樂、悲與喜就分裂成兩半。

光明和黑暗從來都不是絕對的，問題只在於你所站的角度。

客觀的世界裡，黑夜與白晝各占一半，有光的地方就有陰影，有潮起就有潮落，升降起伏本來是自然的規律，人無法違逆自然，也無法執著於固定不變。

有人在面臨逆境之時，會走上絕路，也是太執著於陰影的恐怖。陰影確實是無所不在，它不會消失，只是一味看向它，被它籠罩，會使我們忘卻了背後就有溫暖的陽光。

略微調整一下姿勢，修正一下角度，把眼光從陰影中移開一寸，你會赫然發現，還有一個屬於陽光的世界。

抬起頭，看向太陽，陰影完全無法威脅到你。生活像一個煎得漂漂亮亮的荷包蛋，讓人食指大動。

生涯到底可不可以規劃，
其實是一個
還找不到答案的問題。

珍惜眞正的寶藏

是內在神祕的力量，牽引著命運。

每個學年度，一到下半學期，總有學校社團來邀約演講，而且指定題目，希望談談「生涯規劃」。

生涯到底可不可以規劃，對於已入社會多年、生涯轉變無數次的我來說，其實是一個還找不到答案的問題。

有規劃，就有規劃不到的意外；有目標，就有偏離目標的危險；有方向，就有大霧瀰漫、辨不清方向的氣候。所謂生涯規劃，是和任何一種規劃一樣，企圖用理性去掌控不可知的未來。

而未來既然是不可知的，自然也是不可掌控的。

對於青年學子的生涯發展，我倒寧可他們少一分規劃，多一分想法。

想法不是固定的行程表，不是幾歲要當大老闆，幾歲要存下一千萬，幾歲要功成名就。想法，是一個意念，一個心願，一個夢，一張執著不放、牢牢不可自拔的羅網。

人深陷網中，無法脫身。

而想法，往往是單純的、絕對的、不容妥協的，甚至有時是古怪得悖離常理的。

我認識不少在社會上工作多年的人，他們從來沒有替自己作過任何生涯規劃，可是他們都得到了自己最想要的東西，在人生路上朝著自己最著迷的方向一直前進。

希望在七十歲唸到博士的人，一邊做事，一邊總是在讀書，從只有初中學歷開始，讀完高中夜補校，如今邁入中年，已經

一個想法、一個意念、
一個心願、一個夢，
在那裡面掩埋著眞正的寶藏。

堂堂做了大學生。

希望做一個業餘作家的人，一方面背負著單親家庭的沉重生計，一方面在海外奮鬥掙扎，像夾縫中蓬勃茁長的小草，居然也在華人報紙上占據一角版面，成了新銳作家。

正經嚴肅的是心願，浪漫多情的也是心願。

有人立志要娶台大畢業的老婆，婚後三波四折，他始終能抓緊老婆，沒有離手。有人立志要住一百坪的房子，娶聽話的日本老婆，在衆人驚嘆與不信聲中，輕輕鬆鬆如願以償。

是內在神祕的力量，牽引著命運吧！

理智的規劃，所缺少的就是這股力量，一種莫名的、不知從哪裡來卻肯定知道要往哪裡去的力量。

珍惜我們自己獨有的一個想法、一個意念、一個心願、一個夢，在那裡面掩埋著眞正的寶藏。

10

一百個計畫，不如一個行動

作準備是必要的，出發也是必要的。
只有踏出第一步，才可能抵達終點。

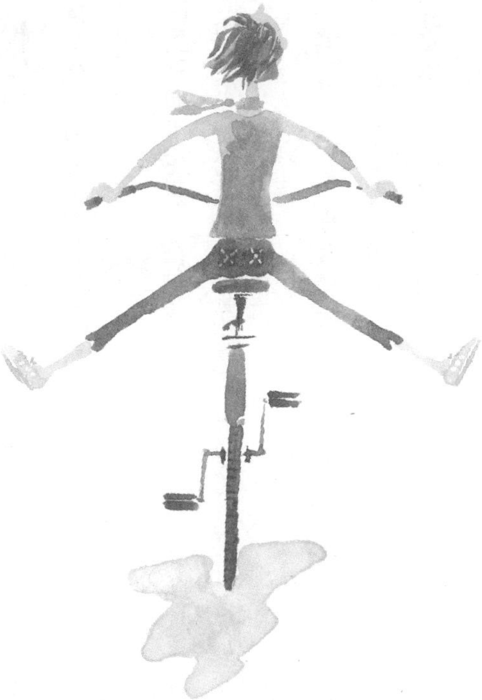

你只需要一個人

人生是殘酷的，愛情是殘酷的，大學校園是殘酷的。

我到大學去演講，碰到一個男生氣憤憤地說：「這世界眞是太不公平了。學校裡面的女生都只喜歡一種男生，就是又高、又帥、又酷的那種。」

他有點喘不過氣來，接著又說：「像我們這種長相平凡的男生，根本沒有人要，再怎麼努力也沒有用。」

我看看這個不高不帥又不太酷的男生，眞的可以感受到他的滿肚子委屈。

怎麼辦呢？

世界本來就是不公平的，上帝造人的時候，把好條件全給我問這個憤憤不平的男生：
「你想要幾個女朋友？」

了少數幾個人，其他大多數人好像只是敷衍一下，沒有太用心，隨隨便便就把我們做出來交差了事。

不高不帥不酷的，有一大籮筐；那又高又帥又酷的，最多一兩個。所有的女生全都喜歡那一兩個人，本來是很正常也很自然的事。只不過這樣殘酷的事實，教人有點難以接受。

人生是殘酷的，愛情是殘酷的，大學校園是殘酷的，所有我們以爲歡樂、美好、明亮的東西，都有它殘酷的一面，那是一切事物的本質，我們必須學習正視它，那也是我們的功課。

大學生已經夠成熟，成熟到可以看出世界是不公平的，但又還不夠成熟，不足以透視出不公平的背後仍然充滿希望。

世界是不公平的，現實是不公平的，但希望是公平的，每個人都有權擁有。

我問這個憤憤不平的男生：「你想要幾個女朋友？」

他有點摸不著頭腦：「幾個？一個就好啦！」

一個不難吧！

你並不需要所有的女生都喜歡你，你也不必在乎所有的女生都喜歡誰。

你不需要神仙的魔棒，把你變成又高又帥又酷的萬人迷。

你只需要一個人，你只尋找一個人。

不要管世界潮流往哪裡去，不要問一大群人向哪裡走。這世界的表相、現實的殘酷，也許屬於大多數人，但是它可以和你無關，和那一個人無關。

你需要的不是整個世界，你需要的只是一個希望，而希望永遠存在。

她考慮了又考慮，
猶豫了又猶豫，
就怕作錯決定。

跳錯槽

其實也不用太緊張，多跳跳，多練習，就會進步。

我的朋友小鍾在公家機構工作了十幾年，她認眞負責，公事上也平平穩穩，同事都是老搭檔，合作起來十分放心。她對外面的花花世界從沒動過心。

沒想到她舊日的長官突然高升，到一家大型的國營事業去做負責人，長官極力邀請小鍾去做左右手。

這就意味著，小鍾必須放棄她十幾年來早已習慣了的安定工作，投入全新的環境，一切從頭開始。

她考慮了又考慮，猶豫了又猶豫，就怕作錯決定。最後，實在敵不過長官的人情攻勢，終於答應跳槽，離開老巢，接受挑戰。

新工作才展開不到半年，小鍾的不適應症似乎已經完全浮現。

一天晚上她緊張兮兮地打電話給我說：「怎麼辦呢？我好像跳槽跳錯了。這個地方，我完全不適應，可是現在又沒法再回到舊機關。早知如此，當初根本就不該過來。」

她的聲音裡充滿了懊悔和惱恨。

一個幾十年沒有跳過槽的人，自然缺乏跳槽的經驗，就算絞盡腦汁、計算利害，只憑這一跳就想跳得正確，的確也是難事。

我只好安慰她：「你過去太少跳槽，當然不容易一跳就跳對。其實也不用太緊張，以後多跳跳，多練習就會有進步。」

「什麼？還要多跳？我跳一次，已經搞得焦頭爛額，哪裡

即使是在錯誤當中，
也充滿著新的機會。

還敢多跳！」老實的小鍾對我的話簡直不敢苟同。

我耐心聽她的抱怨，但是實在想不出別的好方法。跳錯槽，做錯事，能怎麼辦呢？

當然只能再跳一次，在下次跳對；再做一次，在下一次做對。

小鍾面對自己的錯誤決定，很害怕也很激動，可是過一段時間，冷靜下來，她知道自己還是得再試一次。

不過，她選擇的不是跳槽——跳入另外一個對錯未卜的環境；而是自己創業，自己的槽比起別人的槽，總是可靠許多。而她的創業夥伴，竟然是在新公司裡才認識不久的同事。如果當初她沒有跳錯槽，根本就不會遇見事業上的合夥人。

即使是在錯誤當中，也充滿著新的機會——小鍾現在可以體會出來。

開始行動的訊號

我們都會在某個時候，接收到某個地方傳來的神祕訊號：「該是行動的時候了」。

新近認識一位朋友阿祥，他本來是上班族，在大公司領有優渥的薪水，工作環境也頗令人羨慕。

雖然他沒有孩子，可是妻子、房子仍然是他的沉重負擔，照理講，他應該緊緊抓住這份難得的工作，維持一個安全且安定的生活。

然而，生命的奇妙就在於，人們都不喜歡走一條理所當然的路，反而寧可挑選那些看來荒涼、危險、沒把握卻可能充滿樂趣的路。

人們都不喜歡走
一條理所當然的路。

我的朋友阿祥有一次讀到一本日本漫畫，漫畫書的名字叫做《三十五歲》，裡面都是談一些三十五歲的人，在感情、婚姻、工作、家庭各方面所碰到的悲喜故事。

漫畫書的作者自己正當三十五歲，回頭檢視身處的這種有家、有子、有貸款、有固定工作的生活，不免感嘆青春時期的浪漫不再，日子是愈過愈沉重。

作者的心情大概也深深觸動了讀者，阿祥突然發現自己也已經三十五歲了，如果說平常人的平均壽命是七十歲，那麼如今正好過了一半。

剩下一半的人生，要怎麼過呢？

和過去一樣，日復一日、天天撞鐘嗎？還是可以去尋找另一種截然不同的生活呢？

阿祥被「三十五歲」這一個數字，刺激得茅塞頓開，他開始重新思考自己可以做什麼，想要做什麼，做什麼才覺得心滿意足，沒有浪費生命。

重新規劃之後，阿祥找出自己可以提供的專業服務，他對自己離開公司之後能夠獨立謀生，有幾分把握。就這樣，在大家驚訝與不信任的眼光之下，阿祥走出了人人羨慕的那個辦公室。

事隔一年，阿祥還在辦公室外面的世界遊蕩。除了每天努力接觸各種機會之外，阿祥現在可以天天游泳，寫一點自己喜歡的文章。

生命中這樣的轉變，不知究竟是對是錯。也許原本沒有對錯，只是有一個心願就去實現一個心願，有一個想法就去完成一個想法。

「已經三十五歲了」，阿祥接收到這個訊號，覺得應該作

於是我們起身，
生命從此變得不同。

一點改變，於是他迅速採取了行動。

我們都會在某個時候，接收到某個地方傳來的神祕訊號：「該是行動的時候了」——於是我們起身，生命從此變得不同。

讓人狠狠踢我一腳

一百個計畫，不如一個行動。

凡事都有第一次，而第一次總是最難。

我第一次計畫去自助旅行，已經是十幾年前的事了。那時，旅遊的風氣還不是鼎盛，旅行社除了團體旅遊外，幾乎沒有其他業務。

而我們和各個國家的邦交，也不如今日這般密切。當時我準備去遊歷的歐洲七國，大半都只肯給我一個星期到十天的簽證而已，單單爲了辦這幾個國家的簽證，要耗上一個多月的時間。

旅行社本身對於較偏僻的國家也不熟悉，最離譜的是，辦

「嗄？只去南部。」

朋友的聲音裡充滿了輕蔑。

完各種手續，最後竟然要我自己帶著七百五十塊錢，到希臘在台北的辦事處，去申請簽證。理由是，旅行社從來沒有客人要去希臘，他們從沒辦過簽證。

計畫一趟自助旅行，遇上這麼多困難，我的心情實在很猶豫。

本來自己去歐洲旅行，就是一項冒險。人生地不熟，當然教人害怕，再加上出國手續重重阻礙，不免想要打退堂鼓。

我跟朋友說：「不想去歐洲了，實在太遠。不如去南部旅行就好了。」

「嗄？只去南部。」朋友的聲音裡充滿了輕蔑。

自從宣布遠征歐洲的計畫之後，人人都視我爲「江湖一女俠」，羨慕加佩服，教大家只有崇拜的份。如今一說不想去，女俠瞬間變成縮頭烏龜，朋友們的態度一夜之間急速降溫。

人情冷暖，自己點滴在心頭。

不管鼓勵或者輕蔑，終究都是力量。

我把旅行的事告訴所有的朋友，讓他們反過來催促我，壓迫我，嘲笑我，最後不管我想不想去，都非走不可，因爲全世界都已經知道這個消息，我爲了面子問題，根本沒有回頭的機會。

一百個計畫，不如一個行動。

行動是最重要的，去做是最重要的。

如果一切計畫都已就緒，卻仍然有一絲怯意，有一絲躊躇，這時不妨善用朋友們的壓力，讓他們補足自己所欠缺的臨門一腳。

有人狠狠踢我一腳，我就像飛出去的球一樣，穩穩射進球門，毅然決然踏上旅程。

兩年之後，
瘦和尚帶著他的缽子，
從普陀山回來了。

今天，輕裝上路

只有踏出第一步，才可能抵達終點。

四川有兩個和尚，要到浙江普陀山去進香。

胖和尚心想，普陀山在遠方，距離那麼遙遠，一路上不免有風風雨雨，還是要多做點準備，糧食、衣物、盤纏樣樣都不能缺少。算算總要個三年五載來備齊一切。

瘦和尚倒沒擔心那麼多，反正是去進香，一路上自會遇到善心人，他帶了一個討飯的缽子，打算沿門托缽，當天就踏上了旅程。

兩年之後，瘦和尚帶著他的缽子，從普陀山回來了，胖和尚還在打點行李，沒有出發呢！

很久以前聽過這個故事，喜歡把它拿出來說了又說，每次都愛問人：「你聽過四川有兩個和尚的故事嗎？」只要對方稍一猶豫，我就滔滔不絕講起自己的故事來。

寓言故事可能表現得比較極端，做長途旅行之前，哪可能完全不需要準備呢？又有幾個能像瘦和尚那樣瀟灑，一襲袈裟、一個缽子，就可以放心走天涯。

但是仔細想來，我們身邊絕對不乏像胖和尚那樣躊躇遲疑，從來不曾邁步出發的人物。

作準備是必要的，出發也是必要的。

只有踏出第一步，才可能抵達終點。

不論在旅途上有多少困難阻礙，有多少賞心樂事，都要在走出第一步以後，才有機會親身體驗。

美國有一位八十五歲的老婦人，寫了一篇文章〈如果我的只要記住老婦人的提醒：
「我要更輕便地出門。」

生命重新來過〉，她說：「我曾經也是那種不帶體溫計，不帶熱水瓶，甚至不帶降落傘，就哪兒也不敢去的人。如果我重新再去旅行的話，我要更輕便地出門，跟以往不一樣。」

不僅是旅行如此，面對自己的人生，我們可以更輕便地出發嗎？

夢想的實現，固然要靠準備的工夫，但更重要的是，及早踏出第一步。準備永遠沒有盡善盡美的一天，許多人爲了做好萬全的準備，蹉跎時日，以致從來不曾跨出家門一步。

俗語說：「天才過不去的地方，傻子一躍就過去了。」

到八十五歲的時候，我們的生命已經無法重新來過。其實不用等那麼久，只要記住老婦人的提醒：「我要更輕便地出門。」今天，就輕裝上路如何！

我要，我得到

真正的考驗，是在計畫的背後，有沒有「我要」的決心。

到網站上和網友聊天，有人問起生涯規劃的問題。

一個網友說：「我已經畢業了，想出國去深造，應該怎麼作計畫？」

我打算試探一下他的決心，就問他：「你是想出國，還是要出國？」

一分鐘後，網友回答：「我當然是藥出國。」

寫文章的人，不免有點職業病，對於文字多半非常講究，畢竟誰能容忍自己的文章裡錯字連篇呢？可是碰上只想暢快聊天，不管錯字連連的網友，眞是教人的文字潔癖不發作也難。

「想」和「要」，大大不同。
想，誰不會想？

我趕快發言：「請注意錯字，拜託拜託。」起碼要讓我的視覺愉快，才能溝通無障礙啊！

「想」和「要」，大大不同。此「要」亦非彼「藥」。

我們每天都聽到別人胡思亂想：「好想談個戀愛喔！」「我最近想錢想瘋了。」「悶死了，眞想換個工作。」「天天想加薪，又不敢跟老闆講。」

想，誰不會想？

想錢、想愛情、想跳槽、想升官、想五子登科、想光宗耀祖，想一舉成名天下聞。

想，是白日夢，夢醒兩手空空，依舊是個窮措大。一秒之內，幾千種想法奔馳如梭，快速得讓人把握不住。伸出一雙手，我們能緊緊抓住的想法，不過一兩個。

能抓在手裡的，牢牢握住不放的，不是如雲朵般飄過的千萬個想法，而是我們眞心渴望，一定要得到的東西。想，只停留在腦袋裡。

要，是行動，是用手捕捉，用脚去實踐。

出國深造，當然需要一個好的計畫。任何我們心中的願望，都需要一個好的計畫。計畫要怎麼擬訂，怎麼實施，有時得請教專家、朋友、有經驗的人。

不過計畫是否完美，並不成問題。眞正的考驗，是在計畫的背後，有沒有「我要」的決心。

只是輕輕兩個字「我要。」

對生命說：「我要。」

對願望說：「我要。」

對瑰麗無比、如煙火四濺的人生路說：「我要。」

我要，我得到，如此而已。

別　怕　，　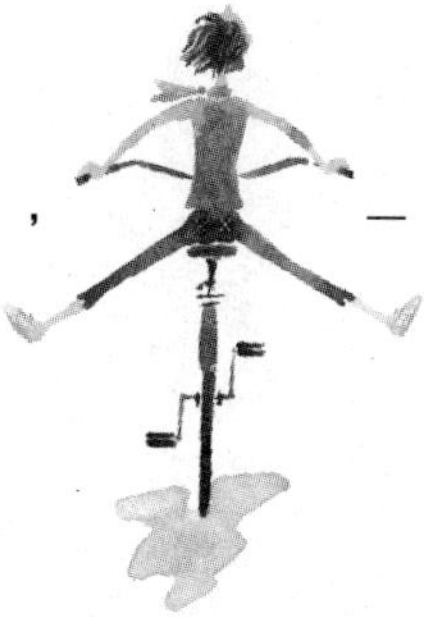　一　定　有　路

國家圖書館出版品預行編目資料

別怕，一定有路／黃明堅，--初版，--［臺北縣］新店市：好語，1999［民88］
面： 公分

ISBN 957-97779-1-8（平裝）

1.成功法 2.生活指導

177.2 88009522

別怕，一定有路

作者／黃明堅
發行人／范毅治
特約編輯／崔玉珍
美術設計／吳慧雯

出版者／好語出版社
地址／新店市大新街五巷十三弄四號四F
電話／（〇二）二九一六－一九八七
傳真／（〇二）二九一二－九三三五
登記證／北縣商聯甲字第〇八八〇〇七二六號
印刷廠／立辰印刷企業有限公司
總經銷／聯經出版事業公司
地址／台北市忠孝東路四段五六一號
電話／（〇二）二六四二－二六二九

著作完成日期／一九九八年十二月
初版日期／一九九九年八月
國際書碼／ISBN
Printed in Taiwan

本書定價／新台幣二〇〇元